Ruedi Klapproth

Mit falschem Paß

Das Schicksal
des Kurden Kemal

Rex-Verlag Luzern/Stuttgart

Die Deutsche Bibliothek – CIP-Einheitsaufnahme
Ruedi Klapproth:
Mit falschem Paß / Ruedi Klapproth. – Luzern; Stuttgart;
Rex-Verlag, 1992
ISBN 3-7252-0562-0

2., leicht veränderte Auflage 1992

Umschlagbild: Monique Maday
Gesamtherstellung: G. J. Manz AG, Dillingen/Donau
ISBN 3-7252-0562-0

An meine Leserinnen und Leser,

meine bisherigen sechs Erzählungen schrieb ich für Kinder und Jugendliche.

Die Geschichte von Kemal, dem Zwilling aus dem andern Land, ist keine Kindergeschichte. Ich schrieb sie für reife Jugendliche und Erwachsene.

Lugano, im Februar 1988

Ruedi Klapproth

Ich danke Frau Denise Graf, Zürich, und Herrn Josef Lischer, Hitzkirch, für ihre freundliche Unterstützung sowie Herrn Rudolf Karlen, aus dessen Buch «Fluchtpunkte», Lenos-Verlag, Basel, ich die Anregung für eine Episode meiner Geschichte empfing.

Sein Dorf lag im Bergland östlich des großen Van-Sees, unweit der iranischen Grenze. Gestern früh waren die Soldaten ins Dorf gekommen, ein Hauptmann mit dreißig, vierzig Mann, ein Jeep, drei Mannschaftstransporter. Im Schulhaus hatten sie sich eingerichtet.

Den ganzen Tag über waren die Männer verhört worden: Sie hätten die Terroristen unterstützt, ihnen Brot, Wasser und Medikamente gegeben.

Als sein Vater aus dem Schulhaus kam, hatte Kemal ihn fast nicht wiedererkannt: Sein Gesicht war geschwollen, ein Auge geschlossen, aus dem linken Mundwinkel sickerte Blut über das Kinn herab.

Kemal hatte seinen Vater zu einer Bank auf dem Schulplatz geführt, der Alte hatte sich stöhnend darauf niedergelassen und saß nun zusammengesackt dort. Sie warteten wie alle andern; man hatte ihnen zu warten befohlen. Nach einer Stunde trat der Hauptmann aus der Kommandantur auf die Treppe: «Es ist erwiesen: Ihr habt die kurdischen Terroristen unterstützt. In eurem Dorfe haben sie Unterschlupf und Verpflegung gefunden. Solche Terroristennester dulden wir nicht. Ihr werdet euer Dorf verlassen. Eure Häuser werden dem Erdboden gleichgemacht, damit sich kein Terrorist mehr hier verstecken kann. Geht jetzt in eure Häuser und bleibt darin, bis man euch holt. Es herrscht Ausgehverbot. Meine Soldaten haben Befehl, auf Leute zu schießen, die das Verbot mißachten. Morgen früh seid ihr abreisebereit!

Man wird euch im Westen des Landes Wohnplätze zuweisen.»

Schweigend hatten die Männer dem Hauptmann zugehört, stumm starrten sie nun vor sich hin. Schwarze Augen verengten sich, Lippen preßten sich hart aufeinander, Fäuste ballten sich in den Hosentaschen. Aber sie hatten schweigen gelernt, zweimal schon waren Soldaten im Dorf gewesen . . .

Der Hauptmann spürte den Haß, der ihm entgegenschlug und verzog sich ins Haus. Starr, feindselig standen die Soldaten, Maschinenpistolen im Arm, rund um den Platz. Die Dörflergemeinde bröckelte ab, löste sich auf. Einzeln trotteten, schlurften sie heim zu ihren Familien. Das Dorf starb.

Kemal Karbaly und sein Vater lebten allein in ihrem Haus nahe der Schule, Kemals Arbeitsstätte. Die Mutter war vor einem Jahr gestorben; zwei ältere Brüder waren seit Jahren verschwunden, wahrscheinlich bei den Partisanen. Sie hatten nichts mehr von sich hören lassen. Das war am besten so.

«Für mich ist das das Ende, Kemal. Ich kann nicht mehr.» Der Vater wurde von einem Hustenanfall geschüttelt. Kemal kühlte ihm das Gesicht mit nassen Tüchern. Er stellte den Suppentopf auf den Herd, legte zwei Holzscheite nach und blies das Feuer an.

«Aber für dich, Kemal, darf es kein Ende sein. Du mußt weiterkämpfen! Sie haben uns Kurden die

Autonomie versprochen. Im Frieden von Sèvres und im Vertrag von Lausanne ist's völkerrechtlich festgelegt. Sie müssen uns im Rahmen der türkischen Nation Autonomie gewähren!» Der Husten unterbrach ihn. «Ich werde nicht aufgeben, Vater, das verspreche ich Euch.» Kemal hatte mit leiser, aber fester Stimme gesprochen. «Doch im Augenblick ist es wichtiger, daß Ihr wieder zu Kräften kommt. Die Reise wird Euch anstrengen. Kommt, eßt!» Der Vater war zu schwach, sich selber aufzurichten. Kemal stützte ihn und löffelte ihm sorgfältig die Suppe ein, die der Alte nur mit Mühe schlucken konnte.

Nachdem Kemal den Hustenden mit zwei Wolldecken warm zugedeckt hatte, begann er zu packen. Es war nicht viel: Seine Bücher und Hefte, die Fotografie der Mutter, Kleider, Waschzeug . . . Der Kartonkoffer reichte. Vom Hausrat ließ sich ohnehin nichts mitschleppen.

Mitten in der Nacht erwachte Kemal; der Vater hatte ihn mit leiser Stimme gerufen. Im schwachen Lichte betrachtete der Sohn sorgenvoll das glühende, schweißnasse Gesicht. «Ihr habt Fieber, Vater; ich mache Euch einen Tee.» «Später!» keuchte der Kranke, «Das hat Zeit. Das andere ist wichtiger. Fast hätte ich's vergessen: Ich habe Geld auf die Seite gelegt, für den Notfall. Es sind 1,5 Millionen*. Du findest sie unter der großen Stein-

* 1000 türkische Liras = zur Zeit SFr. 2,–/DM 1,65. Ein mittlerer Monatslohn beträgt in der Türkei zur Zeit £ 200 000.

platte im Schafstall, gleich hinter der Schwelle, links. Du mußt über die Straße; paß auf . . .!»

Nachdem Kemal eine Zeitlang die Straße beobachtet hatte; eine Zweierpatrouille war vorbeimarschiert, hatte er sich hinübergewagt. Der Schafstall stand schon seit langem leer; sie hatten keine Tiere mehr. Nun lag er auf den Knien und tastete den Boden hinter der Schwelle ab. Er fand die Platte, konnte sie ohne allzuviel Kraftaufwand heben und hielt bald die flache Blechschachtel in der Hand. Er ließ sie in die Hosentasche gleiten und erhob sich. Lange spähte er in die Nacht hinaus. Da entdeckte er den Posten: keine zwanzig Meter entfernt stand der Soldat, verwachsen mit dem Baum. Wenn Kemal das schwache Räuspern nicht vernommen hätte, hätte er ihn wohl kaum bemerkt. Er fühlte seine Halsschlagader. Als die Patrouille das nächstemal beim Posten vorbeikam, hörte Kemal die Soldaten leise miteinander sprechen. Das war der Augenblick! Ein Schatten huschte über die Straße. Gleichzeitig flammte der scharfe Strahl einer Taschenlampe auf; eine harte Stimme befahl: «Halt!» Kemal preßte sich in die dunkle Türnische. Dann begann er vernehmlich zu knurren. «Ein Hund!» hörte er einen der Soldaten lachen, «Geh du nachschauen!» «Geh du selber; mir sind meine neuen Hosen zu kostbar.» Kemal lauschte noch eine Weile. Nachdem die Zweierpatrouille weitergegangen war, öffnete er lautlos die Türe und schlüpfte ins Haus. Der Vater war eingeschlafen.

Am nächsten Morgen ratterte die Transportkolonne ins Dorf.

Familienweise wurden die Dörfler in Listen eingetragen und dann in die Lastwagen gepfercht. Die Tiere würden vom Staat übernommen, die Ausgesiedelten sollten später eine entsprechende Entschädigung erhalten.

Kemal hockte auf dem Koffer, sein Vater lag zusammengekrümmt in einer Wolldecke neben ihm.

Noch während die Menschen verladen wurden, begannen Arbeitstrupps und Raupenbagger ihr Zerstörungswerk. Gleich gewalttätigen Sauriern schlugen die kreischenden Ungeheuer ihre Stahlpranken in die Flanken der Häuser. Was Generationen von Menschen erbaut, unterhalten, erneuert hatten, sank binnen Stunden in Schutt und Staub zusammen.

Kemal hob den Blick über die Staubwolke. Er wollte die Zerstörung nicht sehen; er wollte sein Dorf so in Erinnerung behalten, wie er es gekannt hatte: braungrau und weiß, eingebettet in die karg bewachsenen Hügel, im Kranz der Berge, die den lichtblauen Himmel trugen. Er starrte in die Weite, während der Konvoi gegen Westen rollte, starrte und starrte, bis ihn die Augen schmerzten; dann schloß er sie und ließ die Tränen über seine Wangen rinnen.

Der Transport kam nicht schnell voran. Am Westende des Van-Sees wurden sie in die Bahn verladen. Die begleitenden Soldaten waren freundlich und hilfsbereit. Der junge Offizier kümmerte sich persönlich darum, daß Kemals Vater unterwegs so gut wie möglich gepflegt und versorgt wurde. «Wir sind doch alle Angehörige derselben großen Nation. Euer Schicksal ist nicht leicht; aber ihr bekommt eine Chance.» Er lächelte. Kemal lächelte nicht. Sie würden sich nie verstehen. Er dankte ihm.

Während der letzten hundert Kilometer wurden die Dörfler im Südwesten des Landes gruppenweise aus dem Zuge genommen und in verschiedene Ortschaften verteilt.

Kemal und sein Vater erhielten eine Einzimmerwohnung in einem neuerstellten Block am Rande einer Kleinstadt. Der Sohn solle sich am folgenden Morgen im Arbeitsamt melden.

Der Alte hatte während der vergangenen Stunden nichts mehr gesagt. Kemal wußte kaum, wie sie ihn die Treppe empor in die Wohnung gebracht hatten. Auch er war erschöpft, dankte dem Hauswart für die Hilfe und brachte seinen Vater zu Bett. Dann inspizierte er das Zimmer: Zwei einfache Betten und der notdürftigste Hausrat waren vorhanden. Er öffnete das Fenster und blickte hinaus. Auch hier gab es Hügel, grüner, als zu Hause; und hinter den Hügeln standen Berge, weniger gewaltig; aber auch sie trugen einen blauen Himmel, ein anderes Blau . . . In der Straße entdeckte Kemal einen Lebensmittelladen. Er wandte sich an seinen Vater: «Ich lasse Euch eine kurze Weile allein. Vater. Ich gehe Essen einkaufen.» Der Alte antwortete nicht. Mit halb offenen Augen starrte er ins Leere. Er atmete rasselnd.

Als Kemal zurückkehrte, stand der Hauswart mit einem Fremden in seinem Zimmer. «Da, du mußt noch unterschreiben. Die Wohnungsmiete beträgt so und so viel im Monat, den Hausrat zahlt ihr ratenweise monatlich ab. Der Betrag steht hier.» und er hielt ihm ein Papier unter die Nase. Kemal überflog das Formular, setzte seine Unterschrift darunter, nahm die Wohnungsschlüssel entgegen, und der Hauswart stapfte aus dem Zimmer.

Der Fremde hatte sich über Kemals Vater gebeugt und fühlte nun dessen Puls. «Ich bin Arzt», sagte er, «Ihr Transportoffizier hat mir vom Bahnhof aus telefoniert. Er gab mir Ihre Adresse und forderte mich dringend auf, mir den Kranken anzuschauen. Zufällig hatte ich Zeit. Der Leutnant hatte recht: Ihr Vater ist sehr schlecht dran. Er kann nicht hier bleiben. Sie haben Glück; wir konnten gestern die neue Krankenabteilung eröffnen. Ich werde Ihren Vater in einer Stunde abholen lassen. Bis dann!» Er verabschiedete sich. Kemal erinnerte sich des jungen Offiziers. Vielleicht hätte er jetzt doch lächeln können . . .

Sie hatten seinen Vater abgeholt. Kemal war mit ins Krankenhaus gegangen: eine neue, saubere Baracke. Sein Vater hatte auf nichts mehr reagiert, nur geradeaus gestarrt und undeutlich wirre Worte hervorgestoßen, kurdisch. Nun schlenderte Kemal in der Dämmerung heim. Er hatte noch immer den keuchenden, stoßweisen Atem seines Vaters im Ohr.

Am nächsten Morgen fand Kemal sich zur Zeit im Arbeitsamt ein. Er stand allein vor dem Schalter. Der Beamte ließ ihn lange warten. Schließlich bequemte er sich an den Schalter und blickte den jungen Mann gelangweilt an. Kemal legte ihm die Papiere vor. Schweigend nahm sie der Beamte entgegen. Er ging an sein Pult zurück und ließ sich schwerfällig in den Sessel plumpsen. Zuerst studierte er die Papiere, dann legte er sie beiseite, kramte in anderen Akten, kritzelte etwas auf ein leeres Blatt. Schließlich erhob er sich, schlurfte zu einem Karteikasten, fischte umständlich eine Karte heraus und kehrte damit an den Schalter zurück. Alles sah sehr provozierend aus. «Du arbeitest bei der Müllabfuhr», sagte er von oben herab, «Melde dich um zehn Uhr . . .» Kemal unterbrach ihn: «Ich bin Lehrer, ausgebildeter Volksschullehrer!»

Unbeirrt fuhr der Beamte fort: «Lehrer, ja, und — Kurde.» Er gab dem jungen Mann einen verächtlichen Blick. Dann hauchte er auf seine manikürten Fingernägel, rieb sie kurz an seinem Revers, betrachtete sie genau und sagte, ohne Kemal noch anzublicken: «Du meldest dich um zehn Uhr im Büro der Müllabfuhr! Da ist die Adresse.» Er schob einen Zettel aus dem Schalter, wandte sich ab und begab sich an seinen Platz. Kemal wollte noch etwas sagen, aber er merkte, daß das nutzlos wäre. Er ging.

Man hatte ihm ein Überkleid und Gummihandschuhe gegeben. Er war mit zwei Kollegen den ganzen Tag hinten im Gestank und Dieselqualm auf dem Trittbrett gestanden und hatte Kübel geleert. Er war hundemüde. Nun stand er am Eingang des Krankenhauses.

«Sie sind zu spät», sagte die Schwester, «die Besuchszeit ist vorbei.» Er blieb hartnäckig. Auf sein Bitten hin telefonierte sie mit dem Arzt. Schließlich durfte er seinen Vater sehen. Kemal erschrak: Vater sah so spitz aus. Stirn, Nase und Kinn schimmerten weißlich. Er ergriff die alte Hand, die schlaff auf der Bettdecke lag und nahm sie zwischen seine warmen, kräftigen Hände. «Vater, ich bin's, Kemal!»

Der Arzt schüttelte den Kopf und sagte leise: «Er kann sie nicht mehr hören.» Erst nach einer langen, langen Weile legte Kemal die Hand des Toten sanft auf die Decke zurück. Dann hob er den Kopf und blickte dem Arzt voll ins Gesicht: «Mein Vater hat mich gehört. Er hat mein Versprechen mitgenommen, mit — hinüber.»

Der Arzt reichte ihm die Hand: «Mein Beileid! Sie können jetzt nicht hierbleiben. Ich werde alles Notwendige anordnen. Kommen Sie morgen nachmittag, so um drei. Die Formalitäten, Sie wissen . . .» Er geleitete ihn zum Ausgang.

Nun lag Kemal in seinem neuen Zimmer, allein, und starrte die Decke an. Er hatte keine Tränen mehr.

Der Vater war in seinem Leichentuch, den Kopf gen Osten, in die Erde gebettet worden. Zwei Träger aus dem Krankenhaus und der Mulla waren dabeigewesen. Der Geistliche vollzog die Riten routinemäßig. Das berührte Kemal nicht sonderlich: Er war Alevit, ihm waren diese äußerlichen Formen weniger wichtig. Sein Herz hielt Zwiesprache mit dem Toten: «Ruht Euch aus, Vater; Ihr habt lange genug gekämpft, habt Euren Frieden verdient. Ich werde den Kampf weiterführen: Kurdistan wird nicht untergehen!»

Die Formalitäten im Krankenhaus waren bald erledigt. Die Gebühren konnte Kemal bar bezahlen. Auf die Frage nach Verwandten gab er die Adresse seiner einzigen Tante in Izmir an, einer Schwester seines Vaters. Sie war in jungen Jahren mit ihrem Manne nach Westen gezogen, hatte kaum noch Kontakte mit der Familie unterhalten; dann und wann mal einen Brief geschrieben. Kemal würde ihr berichten.

Von seinen Brüdern sagte er nichts, hätte auch nichts zu sagen gewußt. Irgendwo kämpften sie, mit der Waffe, — falls sie noch lebten . . .

Sollte er sie suchen? Mit ihnen als Partisan kämpfen?

Es würde schwierig sein, die Stadt zu verlassen. Kemal besaß keinen Paß und ahnte, — wußte, daß er überwacht wurde. Auf alle umgesiedelten Kurden hielt der Staat ein wachsames Auge: Der Hauswart? Der Arbeitskollege? . . .

Kemal empfand seine Arbeit als anstrengend und unangenehm. Er versuchte, sich vorläufig damit abzufinden. Seine Kollegen schätzten ihn, denn er schonte sich nicht. Hin und wieder fand sich etwas Brauchbares im Müll, das sich verkaufen ließ oder zu Hause verwendet werden konnte.

Insgeheim suchte er eine ihm zusagendere Arbeit, hielt Augen und Ohren offen und fragte da und dort nach; erfolglos, sobald die Leute erfuhren, woher er kam.

Eines Morgens lag eine Vorladung in seinem Briefkasten: Man beorderte ihn für den nächsten Nachmittag, vier Uhr, ins Arbeitsamt.

Es war derselbe Beamte, der ihn auch diesmal wieder eine Viertelstunde warten ließ.

«Du suchst eine andere Arbeit? Gefällt's dir nicht bei unsern städtischen Betrieben?» Die Stimme troff von Hohn.

«Nein. Die Arbeit gefällt mir nicht. Ich bin Lehrer. Ich habe ein Recht, eine meiner Ausbildung entsprechende Arbeit zu erhalten. Und ich werde eine finden!»

Kemals bestimmte und selbstsichere Antwort ließ den Beamten seine Beherrschung verlieren; er demaskierte sich: «Glaubt ihr verdammten Kurden, wir geben euch irgendeinen wichtigen Schalthebel in die Hand? Damit ihr euer Banditentum übers ganze Land ausbreiten könnt? Ihr bleibt unten! Und du besonders, dich werden wir ganz unten halten! Du hast in letzter Zeit versucht, Kontakte zu knüpfen. Glaube nur nicht, du könnest irgend etwas unbeobachtet tun. Ich garantiere dir, es dauert nicht lange, und wir werden etwas in der Hand haben, um dich so klein zu machen, so klein! Und jetzt verschwinde!» Er ließ Kemal stehen und lümmelte sich hinter seine Akten.

Kemal hatte zu vieles erlebt, um die Drohung nicht ernst zu nehmen. Nach langem Grübeln kam er spät nachts zum Schluß, daß es sinnlos war, sein Leben hier weiter zu fristen. In diesem Lande hatte er keine Chance, auch keine Chance, das dem Vater gegebene Versprechen einzulösen. Sie waren stärker hier. Sie hatten gesiegt.

Er mußte fliehen. Er mußte auswandern. In einem andern Lande könnte er etwas aufbauen, eine Basis finden — vorläufig. Später könnte er von dort aus wirken. Wenn sich die Umstände hier veränderten, könnte er zurückkehren — nach Hause; auf ein autonomes Kurdistan hinarbeiten. Er begann zu träumen.

Er träumte von einem freien, demokratischen Land. Er hatte von der Schweiz gehört: Dort gab es Gerechtigkeit, dort verwirklichte man die Menschenrechte, dort durfte jeder seine Sprache reden, seine Kultur leben, dort gab es keine bestechlichen Beamten, keine Unterdrückung . . . und auch dort türmten sich weißgekrönte Berge in den Himmel.

Er hatte auch anderes gehört: Die Schweizer seien ungastlich, hart, geizig, die Bankiers der Welt. Aber er glaubte, das seien nur die wenigen, die Neureichen; die waren wie überall auf Erden; die Gewöhnlichen jedoch, das Volk, das waren

Menschen, gute, freiheitlich denkende Menschen. Man sprach deutsch dort, und auch französisch, — oder italienisch? Auf alle Fälle deutsch. Und in der deutschen Sprache fand sich Kemal zurecht. Als Junge hatte er mit seiner Familie ein paar Jahre in Deutschland zugebracht, in Duisburg. Er war zur Schule gegangen und war, dank seiner raschen Auffassung, gut vorangekommen. Später hatte Vater seine Arbeit verloren. Man hatte ihm — für den Fall einer Rückreise in die Türkei — einen riesigen Geldbetrag angeboten. Er hatte angenommen. Mit einem Teil des Geldes konnten sie Kemals Ausbildung zum Lehrer bezahlen. Sie waren heimgekehrt in ihr Land, in ihre Berge. Hier konnte man leben; leben und atmen. In Duisburg hatte es ihm nie gefallen, in dieser unübersehbaren, wimmelnden Stadt, in diesem rauchigen, horizontlosen Tiefland. In dieser Stadt, in der sie seinen Vater «Kanaken» schimpften, in der die Kinder ihn auslachten, weil er nach Knoblauch roch.

Aber man ließ sie nicht leben hier, in ihren Bergen; nur, weil sie Kurden waren. Es durfte keine Kurden geben! Die Soldaten waren gekommen, die Verhöre hatten begonnen, Schläge, Folter, Gefängnis, Hinrichtungen . . .

Die Schweiz! Freiheit! Menschlichkeit! Und Berge!

Er trat pünktlich zu seiner Arbeit an, leistete eher mehr, als verlangt war. Er wollte nicht den geringsten Anlaß zu einer Klage geben. Nach Feierabend wartete er vor dem Stadthaus auf einen

Beamten aus dem Paßbüro. Er hatte den Mann zufälligerweise vor ein paar Tagen flüchtig kennengelernt. Bei einer Tasse Kaffee tastete er sich vorsichtig ans Thema heran. Schließlich kapierte der Mann, — oder hatte er schon lange verstanden und wollte nur sein Spielchen mit Kemal treiben?

Er hob die Augenbrauen: «Einen Paß wollen Sie? So ein bißchen illegal, Sie, als Kurde, hier, bei uns? Das geht nicht. Das kann ich nicht; um keinen Preis!» Im Laufe des weiteren Gesprächs ließ der Mann durchblicken, daß es vielleicht, unter Umständen, wenigstens für einen anständigen Preis doch möglich sein könnte. Als er die Summe nannte, und als Kemal merkte, daß er nicht mit sich markten ließ, schwand seine Hoffnung. Er müsse es sich noch überlegen, sagte er und bezahlte die Getränke. «Bitte», antwortete der Mann, «Sie wissen, wo sie mich finden.»

Aus einem Mülleimer, den er eben leeren wollte, schaute die Ecke eines Büchleins hervor. Er setzte den Eimer ab, zog das Büchlein aus dem Müll, wischte den grauen, staubigen Schmutz weg und blieb verzaubert stehen. Ein Märchenbuch! Sein Märchenbuch, kurdisch! Das stinkende Müllauto, die Straße, die Stadt, alles versank. Kemal stand als kleiner Junge vor ihrem Häuschen inmitten von Schafen, hielt das glänzende Buch in der Hand und hörte seine Mutter sagen: «Wenn du dann lesen kannst, werden wir alle die wunderbaren Geschichten, die darin stehen, miteinander lesen!»

Einer der Kollegen stieß ihn an: «He, Kemal, träumst du?»

Hastig steckte er seinen Schatz unter die Jacke. Am Abend las er, auf dem Bette liegend, mit fiebrigen Augen das ganze Büchlein durch.

Zuletzt weinte er sich wie ein Kind in den Schlaf.

An den beiden folgenden Abenden wartete er auf seinen Paßbüromenschen. Flehen, bitten, betteln half nichts, der Mann ließ sich nicht erweichen. Kemal hatte nicht so viel Geld.

Am nächsten Tag holte ihn die Polizei von der Arbeit ab. Zwei Polizisten steckten ihn in ihr Auto und brachten ihn ins Präsidium. Nachdem er eine Stunde in einem Zimmer gewartet hatte, eröffnete ihm ein Polizeibeamter, daß er in Untersuchungshaft genommen würde. Seine Fragen blieben unbeantwortet. Man führte ihn in eine Zelle und schloß von außen zu. Der Gestank war fürchterlich. Er mußte an sich halten, um sich nicht zu übergeben. Nachdem er eine Weile wie betäubt dagestanden war, bemerkte er, daß ihn Augen anstarrten. Zwei bärtige Männer hockten auf einer Pritsche und blickten mißmutig zu ihm herüber. In den Ecken und an der einen Wand des kleinen Raumes kauerten oder lagen noch vier weitere Gefangene, welche apathisch vor sich hinstierten. Am Boden und auf den Pritschen lagen Teile von etwas, was früher einmal Matratzen oder Matten gewesen sein mochten. In einer Ecke stand ein Kübel. Kemal hockte sich dorthin, wo an der Wand noch eine leere Stelle war, legte Arme und Kopf auf die Knie und versuchte herauszufinden, weshalb er hier war. Hatte der Paßbeamte ihn denunziert?

Die Nacht war schlimm gewesen. Auf dem engen Boden hatten die sieben Gefangenen kaum Platz zum Schlafen gefunden. Als er den Beamten fragte, der ihnen am Morgen den Fraß hereinwarf — anders konnte man das nicht nennen —, ob er wisse, wann er verhört werden würde, brummte dieser: «Heute oder morgen oder in einem Jahr. Du wirst's dann schon merken.» Die Männer stritten sich ums Essen. Kemal mochte nichts anrühren. Am zweiten Tage stritt er mit, und einer der Mitgefangenen, ein untersetzter, bärtiger Türke, sorgte dafür daß der Neue seinen Anteil erhielt.

Nachdem er anfänglich gelärmt und reklamiert hatte, lag er nun, am achten Tage der Haft, resigniert vor sich hinbrütend in einer Ecke, als sein Name gerufen wurde. Der Wärter mußte zweimal rufen, bis die verdreckte Gestalt sich in ihrem Winkel erhob und zur Türe wankte.

Der Lichtstrahl knallte ihm in die Augen. Er blinzelte.

«Kennst du einen Atmaca Karbaly?» Die tonlose Stimme drang von jenseits des Scheinwerfers zu ihm herüber. Er überlegte, was er antworten sollte und zögerte. Da erhielt er von hinten einen Schlag ins Genick, daß es ihn nach links warf, und der Mann, der hinter ihm stand, brüllte ihm ins Ohr: «Gib Antwort, wenn man dich fragt. Der Kommissar hat nicht viel Zeit für dich!»

Das Verhör war schrecklich. Er erfuhr, daß sie seinen Bruder Atmaca erschossen hatten; sie zeigten ihm ein Bild der Leiche. Sie glaubten ihm nicht, daß er keine Verbindung mehr mit seinen Brüdern gehabt hatte und schlugen ihn halb bewußtlos. «Du wirst uns noch mitteilen, wo dein anderer Bruder, der Rahmin, sich herumtreibt», sagte der Kommissar abschließend. Kemal verstand ihn nicht mehr. Der Wärter schleppte ihn zurück in die Zelle.

Nach einigen Tagen, nachdem sein Gesicht abgeschwollen war, entließen sie ihn aus der Haft. Einer der Mitgefangenen rief ihm nach: «Mit wieviel hast du sie geschmiert, daß sie dich schon freilassen?»

Es war Mittag. Kemal beschloß, heute noch nicht an die Arbeit zurückzukehren. Er wusch sich gründlich und zog frische Wäsche aus der Schublade. Sein Märchenbuch lag nicht mehr unter den Leibchen. Er stellte fest, daß in seiner Abwesenheit das Zimmer durchsucht worden war. Das Buch blieb verschwunden. Die Blechschachtel mit dem Geld, die er unter den Spülkastendeckel im WC geklebt hatte, war ihnen anscheinend entgangen. Er steckte sie in die Hosentasche. Er mußte fort! Bald, sehr bald! Mit oder ohne Paß! Er würde es heute noch einmal versuchen. Vielleicht ließ sich die fehlende Summe irgendwie auftreiben. Er konnte sie ja aus dem Ausland zurückzahlen. Aber wer sollte sie ihm leihen? Er kannte niemanden.

Unter der Haustür traf er den Hauswart. «Mit euch Kurden hat man seinen Kummer. In meinem Hause findet die Polizei kurdische Schriften! Weißt du nicht, daß der Besitz von kurdischen Schriften strafbar ist?» Der Hauswart blickte ihn scheinheilig an. «Ein Märchenbuch?» fragte Kemal ebenso freundlich zurück. «Kurdische Schriften!» sagte der Hausmeister, «vor Zeugen, in deiner Kammer gefunden! Bis zu vier Jahre kannst du dafür kriegen, hat mir der Polizist erklärt.» Kemal ließ den Mann stehen.

Diesmal suchte er noch während der Arbeitsstunden den Paßbeamten an seinem Schalter auf. Ein bißchen nervös winkte dieser ihn auf den Gang hinaus, wo die beiden mit gedämpfter Stimme ihr Gespräch führten. Kemal sagte, er könne die verlangte Summe nicht voll aufbringen, aber vielleicht doch mehr, als er bisher geboten habe. Der Beamte wiegte wichtigtuerisch den Kopf. Da trat aus einem Büro mit gepolsterter Tür ein älterer, elegant gekleideter Herr in den Gang und ging mit raschen Schritten an den beiden vorbei. Der Beamte grüßte devot, der Herr grüßte lässig zurück, blieb dann aber stehen und betrachtete aufmerksam Kemal. «Habe ich Sie nicht schon hier gesehen, schon mehrmals? Sind sie Bekannte?» Der Beamte beeilte sich zu sagen: «Nein, nein, nur flüchtig. Der Mann wollte etwas mit mir besprechen, rein persönlich.» Er bekam einen roten Kopf und verhaspelte sich beim Reden. Der Herr blickte zuerst dem Beamten, dann Kemal prüfend ins

Gesicht und sagte dann gedehnt: «Vielleicht könnten Sie mir persönlich Ihr Problem darlegen? Vielleicht kann ich Ihnen helfen.» Der Beamte kaute seine Lippe. Kemal hielt dem Blick stand und erwiderte ihn. Die Augen hinter der randlosen Brille flößten ihm auf unerklärliche Weise Vertrauen ein. «Vielleicht», sagte er.

«Sie haben nichts dagegen?» Der Herr legte dem Beamten freundlich die Hand auf die Schulter. Der klappte zusammen: «Selbstverständlich nicht, Herr Amtsvorsteher!» und verzog sich. Der Amtsvorsteher führte den jungen Mann zurück und öffnete ihm höflich die gepolsterte Türe.

Es war ein großer, sehr gediegen eingerichteter Raum, in welchem Kemal jetzt in einem schweren Ledersessel seinem Gastgeber gegenübersaß. Ohne Umschweife begann dieser: «Sie sind Kurde, das sehe und höre ich.» Der Junge nickte, und der Ältere fuhr fort: «Sie brauchen einen Paß.» Kemal hielt den Atem an. «Sie brauchen nicht zu erschrecken. Ich weiß, daß meine Beamten in solchen Dingen hin und wieder, hm, sagen wir mal: mit sich reden lassen.» «Das stimmt», sagte Kemal, «ich brauche einen Paß. Aber ich habe zuwenig Geld.» Er wußte nicht, woher ihm das Vertrauen zu diesem hohen türkischen Staatsbeamten zufloß. Der Amtsvorsteher lächelte, etwas nachdenklich, fast verlegen, blickte den Kurden lange an und sagte dann: «Sie sind geschlagen worden, kürzlich?» «Ich war im Gefängnis, Untersuchungshaft. Man fragte mich über meinen Bruder aus, der ersch-, der kürzlich gestorben ist.» Kemal senkte den Blick. «Geben Sie mir Ihre Papiere, bitte!» Er streckte die Hand aus und der Junge gab ihm die Brieftasche. Der Vorsteher durchflog die Blätter, stand dann auf: «Einen Augenblick, bitte», und verließ den Raum durch eine Seitentüre.

Kemal hatte sich erhoben, setzte sich dann aber wieder und wußte nicht, was er von all dem halten sollte. Was geschah hier? Nahmen sie ihm seine Ausweise? Wurde er jetzt verhaftet, eingesperrt? Sie hatten jetzt Gründe, Beweise in der Hand, sie konnten ihn vernichten: das Märchenbuch — nur schon das würde für eine Versenkung auf ewige Zeiten hinreichen! Sie konnten alles verdrehen! Seine Anstrengungen, zu einem Paß zu kommen! Für einen Türken etwas Alltägliches; für einen Kurden, einen umgesiedelten Kurden, jetzt, hier, schier unmöglich! Sie konnten es ihm gewiß als Untat anlasten.

Seine Augen zuckten. Sollte er laufen? Noch war es Zeit! Aber das Gesicht war gut. Es war ein feiner, vornehmer Kopf; da hatte nichts Hinterhältiges durchgeschimmert. Und doch, es war unsinnig!

Gerade als Kemal aufstehen wollte, kehrte der Amtsvorsteher zurück. Eine Weile schwiegen beide. Der Türke blickte zu Boden und begann mit verhaltener Stimme zögernd zu sprechen. «Ich weiß nicht, weshalb ich das tue. Ich weiß auch nicht, ob es richtig ist. Sehen Sie, ich habe einen Sohn, ungefähr in Ihrem Alter. Er, — er tut nicht immer gut. Er ist noch jung. Vor einiger Zeit hörten wir nichts mehr von ihm. Er studierte in einer andern Provinz und war dort ins Gefängnis geraten. Es war seine Schuld: ein Autounfall, und dann — er ist so unbeherrscht — eine heftige Auseinandersetzung mit der Polizei . . . Durch einen Zufall erfuhr ich, wo er steckte. Es gelang mir, ihn aus dem Gefängnis zu holen. Er war geschlagen worden, er hatte im Dreck gelegen wie Sie. Nur weil ich Macht besitze, kam er so schnell wieder ans Tageslicht. Wie mancher arme Teufel wird dort behalten?

Es sollte nicht geschlagen werden in unsern Gefängnissen! Es dürfte nicht gefoltert werden. Kurde oder Türke — wir sollten die Menschenrechte beachten! Auch die Türkei wird einmal die Menschenrechtskonvention unterzeichnen. Und es gibt viele, die etwas verändern wollen.

Ich glaube, daß die Jungen es einmal besser machen werden. Sie müssen es besser machen! Sie sind jung, Sie können etwas ändern! Aber nicht hier, als Kurde. Gehen Sie ins Ausland, arbeiten sie von dort aus auf eine einige, große Türkei hin, in der alle gleichberechtigt Platz haben! Sie kriegen Ihren Paß. Ihnen kann ich helfen, wenigstens einem von so vielen.»

Kemal wußte nicht was sagen. Nach einem Klopfen ging die Nebentüre auf; ein Beamter brachte seinem Chef Kemals Brieftasche und — einen Paß. Der Amtsvorsteher wartete, bis sie wieder allein waren. Er durchblätterte den Paß, nickte und überreichte seinem jungen Freund die Ausweise. «Reisen Sie! Reisen Sie noch heute, sofort! Schauen Sie, daß Sie in 24 Stunden über der Grenze sind! Gehen Sie nicht mehr nach Hause! Gehen Sie zur Bushaltestelle bei der Hauptpost. Fragen Sie nach Hüseyin. Wir kennen ihn.» Er lächelte verhalten. «Hüseyin verschafft ihnen eine Reisegelegenheit im Auto. Zahlen Sie, was er verlangt, markten Sie nicht lange! Gehen Sie, jetzt!» Er hatte sich erhoben. Kemal stand ebenfalls auf; er wußte nicht wie ihm geschah. Er stammelte: «Danke! Dank!» Da zog der alte Mann einen Augenblick lang den Kopf des jungen an seine Brust und sagte leise: «Geh mit Allah, mein Sohn!» Dann schob er ihn aus der Tür.

Wirklich, Hüseyin war leicht zu finden gewesen. «Du willst verreisen? Wohin? In die Schweiz! Wir bringen dich bis Milano, von dort ist's nicht mehr weit. Hast du einen Paß? Okay, in einer Woche! Was! Früher? Heute? Ich weiß nicht.» Hüseyin kratzte sich hinterm Ohr. «Das verteuert zum mindesten die Sache.» Er nannte einen Preis, der Kemal ziemlich hoch, jedoch noch nicht unfair vorkam. «Warte hier in der Bar. Ungefähr in einer Stunde kann ich's dir sagen», und er ließ ihn stehen.

Der Kurde hockte ungeduldig auf dem Barstuhl und knabberte nervös einige Haselnüsse. Hüseyin kehrte früher als erwartet zurück: «In Ordnung! Hast du das Geld da? Kein Gepäck? Okay! Nimm noch ein Sandwich oder so was mit!» Kemal erhielt an der Bar ein Brötchen und saß zehn Minuten später zusammen mit vier andern in einem klapprigen, alten Fiat.

Die Nacht hindurch rüttelten und schaukelten sie auf löchrigen Straßen nordwärts; am folgenden Vormittag erreichten Sie die Grenze. Pässe vorweisen! Kemal benetzte seine trockenen Lippen. Aber die Grenzkontrolle verlief reibungslos, und viel eher, als er gedacht hatte, befanden sie sich in Bulgarien. Zwei Fahrer lösten sich wechselseitig ab. Der Wagen klapperte und quietschte; aber er hielt durch, und nach wenigen Tagen stand der junge Kurde müde, zerknittert und voller Hoffnung in der großen, lebhaften, lärmigen lombardischen Metropole. Man hatte ihm einen Zettel in die Hand gedrückt: «Bar Mustapha» — dort würde er Leute finden, die ihm weiterhalfen.

Er fand die Straße, und er fand die arabisierende Schrift: «Mustapha». Nachdem er bedächtig seinen Espresso getrunken und die Leute etwas beobachtet hatte, wußte er, an wen er sich wenden mußte. Der Mann sprach türkisch, war selber Türke. Seine erste Frage lautete: «Wieviel Geld hast du?» Kemal gab die Hälfte seines Vermögens an. Der Schlepper ließ seine flinken Augen an Kemals Gesicht vorbeigleiten, lächelte ins Leere und sagte: «Also, das Doppelte. Das ist immer noch weniger, als was ich brauche; aber für dich mache ich eine Ausnahme.» Schließlich einigten sie sich auf 750 000 £. Kemal hoffte, daß der klägliche Rest ihm in der Schweiz fürs erste genügte. «Ich gebe dir noch einige Gratistips», sagte der Türke, «Erstens: Reise nicht legal über den Grenzposten in die Schweiz ein. Du riskierst, daß sie dir ein R in den Paß stempeln, das heißt ‹Rückweisung›. Dann kommst du ein zweites Mal nicht mehr in das gelobte Land. Wenn du illegal über die grüne Grenze einreisest — wozu ich dir verhelfen werde; du hast dafür einen symbolischen Betrag erlegt — dann hast du alle Chancen, wenigstens so lange dein Asylgesuch läuft, in der Schweiz bleiben zu dürfen. Und bis es entschieden wird, kann das zwei, drei Jahre dauern. Noch besser ist es, du stellst gar kein Gesuch, sondern suchst Schwarzarbeit. Wenn du ihnen die Dreckarbeit machst, drückt mancher ein Auge zu und stellt dich ein. So lange sie dich nicht erwischen, bist du sicher. Wenn sie dich schnappen, dann stellst du ein Asylgesuch, und dann hast du noch lange Zeit . . . Am besten reisest du nach Basel. Dort leben viele Türken, dort gibt es entsprechende Verbindungen. Schau dich im Bahnhof um, beim Kiosk wirst du die richtigen Leute treffen. Im übrigen: heute abend um halb neun, hier! Wenn du Geld wechseln willst: Du kannst's bei mir oder dort drüben in der Bank.»

Es war erst kurz nach vier, Kemal hatte Zeit. Zuerst wechselte er seine restlichen türkischen Pfunde. Er erhielt knappe dreihundert Franken und wußte nicht, wie lange er damit würde leben können. Dann schlenderte er in den belebten Straßen umher. Er bestaunte die vielen Autos, die ununterbrochen durch die Häuserschluchten brausten. Er dachte an Duisburg . . .

An einer Benzintankstelle entdeckte er eine alte Schweizer Straßenkarte. Auf seine bittenden Gesten hin überließ sie ihm der Tankwart achselzuckend. Kemal fand heraus, daß er die Eisenbahn von Chiasso über Lugano, Luzern bis Basel benutzen konnte. Was mochte die Fahrkarte kosten? Um acht stand er in der Mustapha-Bar. Kurz nach halb neun sammelte der Türke seine Männer. Es waren drei. Sie fuhren etwas über eine halbe Stunde schweigend nach Norden. Der Schlepper erklärte: «Vom Augenblick an, da ihr aussteigt, gibt es kein lautes Wort mehr. Ich werde euch bis zu einem Loch im Grenzzaun bringen. Dort übernimmt euch mein Kollege. Der bringt euch in die nächste Stadt. Von dort aus müßt ihr selber weiterkommen.»

Die Dämmerung war in Nacht übergegangen. Nach einer weiteren halben Stunde bog der Wagen von der Hauptstraße ab. Auf immer schmaler werdenden Nebenwegen rollte er langsam mit eingeschalteten Standlichtern; schließlich stand er an einem Waldrande still; das Licht erlosch. Die Männer stiegen aus und drückten die Wagentüren geräuschlos zu. «Von hier an wird marschiert», flüsterte der Führer, «etwa zehn Minuten lang durch den Wald. Der Boden ist fest; aber seid vorsichtig, daß ihr nicht zu viele Äste zerknackt!»

Ein halber Mond schickte etwas Licht durch den Dunst. Die schweigende Gruppe setzte sich in Bewegung. Sie erreichten den hohen Maschendrahtzaun und gingen ihm entlang. Nach etwa fünfzig Metern fanden sie das Loch. Einer nach dem andern schlüpfte hindurch; der Führer blieb zurück. Ein schwarzer Schatten empfing sie. Sie folgten ihm schweigend. Kemal empfand ein unaussprechliches Gefühl: Er war in der Schweiz! In der freien, demokratischen Schweiz! Ihm schien, die Luft rieche besser hier, frischer, kräftiger.

Plötzlich zerrissen zwei helle Scheinwerferstrahlen die Dunkelheit. Kemal war etliche Meter zurückgeblieben, rannte zum Loch zurück und schlüpfte hindurch. Er hörte lautes Rufen. Er verstand nichts außer «Svizzera» und «Alt!» und vernahm das Gebell eines mächtigen Hundes.

Er rannte durch den Wald, stolperte, fing sich auf, hetzte weiter. Schließlich erreichte er das Sträßchen. Was sollte er tun? Hier bleiben, schien ihm zu gefährlich. Er wanderte unschlüssig nach Süden, kam zu einer asphaltierten Straße und folgte dieser. Von hinten tauchten überraschend Scheinwerfer auf: ein Auto. Die Lichter erfaßten den Kurden; der Wagen hielt an, und bevor Kemal davoneilen konnte, hörte er eine Stimme. Er verstand nichts, aber es klang freundlich. Er wurde zutraulich, ging zum Wagen und saß zuletzt, von einem jungen Mann eingeladen, neben dem Fahrer. Sie fanden heraus, daß sie sich auf englisch verständigen konnten. Er wollte ihn nicht hier in der Einsamkeit lassen, ob er mitkommen wolle? Er fahre bis Seveso und dort sei ein Heim für — Flüchtlinge. Er hatte es erraten!

In Seveso hielt der junge Italiener an und zeigte dem Kurden den Eingang: «Dort findest du Unterkunft. Keine Angst!»

Kemal wurde gastfreundlich aufgenommen. «Dalla Svizzera?» Er verstand und nickte. Türken, die schon längere Zeit da wohnten, erklärten ihm, er sei in einem Auffanglager für Flüchtlingsfamilien. Er könne wahrscheinlich nicht hier bleiben, aber in Milano, unter dem Bahnhof, dort leite Fratel Ettore ein Heim für Flüchtlinge, die sonst niemand aufnehmen wolle. Dort finde er fürs erste Hilfe. Er bekam ein warmes Essen, man ließ ihn übernachten, und am nächsten Tage brachte ihn jemand, der ohnehin nach Milano fahren mußte, ins Heim unter dem Bahnhof.

Auch hier fragte man nicht lange. «Komm!» sagten sie; es waren Menschen. Er bekam ein Lager, konnte seine Wäsche waschen, erhielt sogar etwas neue Wäsche und täglich warmes Essen. Es saßen und standen viele herum in dieser Halle mit den bemalten Wänden. Mit einigen kam Kemal ins Gespräch. Er erfuhr, daß er nicht der einzige Flüchtling war, und viele der Aufgenommenen kamen aus der Schweiz: sie waren aufgegriffen und an die italienische Grenze zurückgestellt worden, kurz nach ihrem Einreiseversuch. Ihm wäre es ja um ein Haar ebenso ergangen. Sie zeigten ihm das R in ihren Pässen.

Einmal kam Fratel Ettore zu den Ausgestoßenen: ein grauhaariger, älterer Mann mit energischen Zügen, anscheinend ein Priester, mit lang wallendem Gewand und einem großen Kreuz auf der Brust. Er begann mit ihnen zu beten. Kemal verstand die italienischen Worte nicht, aber er betete auf seine Weise mit; irgendwie fühlten alle diesen Geist, der in unerschütterlichem Gottvertrauen zu ihnen stand, in der Gewißheit, Gott oder die Schweizer würden schließlich doch ein Einsehen haben . . . Fratel Ettore war eine bemerkenswerte Person: neben seinem Gottvertrauen besaß er einen ausgeprägten Realitätssinn; gütig war er und fest zupackend. Mit starker Hand führte er seine Schäflein. Wohin? Gott wußte es: dominus providebit! Kemal war ihm dankbar und bewunderte ihn. Trotzdem schlich er sich nach drei Tagen aus dem Gemäuer weg.

In der Bar Mustapha fand er seinen alten, schlitzohrigen Schlepper. Der hob die Augenbrauen: «Schon zurück! Hat's dir in der Schweiz nicht gefallen?»

«Wahrscheinlich hätte es mir gefallen; aber sie haben uns gleich jenseits des Zaunes erwischt. Du mußt es noch gehört haben. Ich konnte gerade noch durchs Loch entkommen; aber du warst schon weg. Bring mich bitte nochmal hinüber!» «Das kostet noch mal so viel.» Kemal packte den Landsmann am Kragen, zog ihn nahe an sich heran und sagte durch die Zähne: «Ich habe kein Geld mehr, und ich habe dich bezahlt, hoch genug. Du bringst mich hinüber!»

«Okay, okay; man wird doch noch ein Späßchen machen dürfen! Heute, wieder um halb neun!»

Diesmal klappte es. Sie gelangten unentdeckt über die grüne Grenze und wurden im Auto bis nach Lugano gefahren. «In der Stadt fallt ihr weniger auf.»

Es war eine pulsierende, wunderschöne Stadt an einem herrlich blauen See, flankiert von zwei Bergen. Kemal hatte den Rest der lauen Nacht auf einer Bank in einem Park am See verbracht. Die Sterne hatten mit den Lichtern auf den Berghängen um die Wette gefunkelt. Schließlich war er eingeschlafen.

«Gibt es in der schweizerischen Sonnenstube jetzt auch schon diese Kanaken!» Die grelle Frauenstimme hatte ihn geweckt. Sie erinnerte ihn an Duisburg. Er richtete sich auf und blinzelte zu dem älteren, gepflegten Ehepaar hinüber, das sich soeben ächzend auf die Nachbarbank niederließ. Der Mann blickte noch zu ihm herüber, zuckte die Achseln und seufzte halblaut: «Man muß sich damit abfinden.»

Merkwürdig, er hatte eigentlich angenommen, daß man in Lugano italienisch spreche. Das hier klang eindeutig deutsch. Er erhob sich und schlenderte Richtung Stadtzentrum. Die Sonne schien schon recht warm, die Luft war klar, ihm war so leicht zu Mute; er beschloß, nicht sofort weiterzureisen. Der Duft von Kaffee und frischen Brötchen stieg ihm in die Nase. Er hatte Hunger. In einem Straßencafé fand er ein freies Tischchen.

Der Kellner ging einigemale an ihm vorüber und sah ihn sehr lange nicht. Schließlich rief Kemal ihn an und bestellte auf deutsch Kaffee und ein

Brötchen. Er streckte die Beine aus und genoß es unsäglich, ein Herr zu sein. Als er endlich bezahlte, erschrak er ob des hohen Preises. Er rechnete den Betrag in türkische Liras um und stellte fest, daß sein Frühstück fast einen halben Taglohn gekostet hatte! Er flanierte durch die engen Straßen und bestaunte die elganten Kleider, die funkelnden Juwelen, die teuren optischen und elektronischen Geräte in den Schaufenstern. Mehr als einen Jahreslohn kostete so eine Kamera! In einem großen Kristallspiegel erblickte er sich selbst. Er musterte sich kritisch und konstatierte, daß er überhaupt nicht zu der Gesellschaft paßte, die um ihn herum flutete. Sein Bart war ungepflegt, sein Kopf schien verlaust. Jacke und Jeans, nun, das ging; solche sah man auch an andern Leuten. Er suchte ein Warenhaus, fand eines mit drei großen, roten M, trat ein und studierte die Waren und ihre Preise. Er erstand ein billiges Köfferchen, das notwendigste Toilettenzeug und etwas Wäsche. Erst wusch er sich im Toilettenraum, stutzte seinen Bart zurecht und kämmte sich, dann wollte er sich im Selbstbedienungsrestaurant ein kräftiges warmes Essen leisten. Als er jedoch sah, daß Leute kaum halbleer gegessene Teller in die Geschirrschränke zurückstellten, wartete er eine Weile vor einem solchen Kasten. Schließlich fischte er unauffällig ein Tablett wieder aus dem Gestell, das einer dort hineingeschoben hatte. Er fand eine dreiviertel Portion Risotto mit Pilzen und einen halben Salatteller vor, setzte sich an ein Tischchen und aß mit gutem Appetit. Es gab auch noch einen süßen Nachtisch. Nachdem er sich den Bauch aus vier Tabletts vollgeschlagen hatte, goß er einen an der Kasse bezahlten Kaffee darüber. Lugano schien eine Stadt zu sein, in der man leben konnte.

Den Nachmittag verbrachte er außerhalb der Stadt am See, ließ die Füße ins Wasser hängen und genoß die Sonne. Er würde erst morgen reisen. Fürs Essen war gesorgt.

Am nächsten Vormittag erkundigte er sich im Bahnhof nach dem Fahrpreis bis Basel. Daraufhin beschloß er, es mit Autostopp zu versuchen. Dank einem freundlichen jungen Paar in einem Kleinwagen und einer sehr netten, älteren Dame in einem Mercedes-Coupé schaffte er die annähernd dreihundert Kolometer in insgesamt fünf Stunden. Die Reise durch das enge Gebirgstal bergaufwärts und dann durch den unendlich langen Straßentunnel faszinierte ihn. Er staunte, daß sie nördlich des Tunnels schlechtes Wetter vorfanden, während sie im hellen Sonnenschein ins Südportal eingefahren waren. Der junge Mann erklärte ihm, das Gotthardmassiv bilde oft die Wettergrenze. Er schien stolz auf seine Berge zu sein. Kemal konnte ihn verstehen, auch er fühlte sich wohl unter diesen Felsen.

Jenseits des dritten langen Tunnels, im bewaldeten Hügelland — die Dame nannte es Jura — regnete es nicht mehr. Am späteren Nachmittag erreichten sie Basel. Kemal dankte der Dame, lehnte ihre Einladung zum Abendessen freundlich ab und fragte sich zum Bahnhof durch. Beim Stehbüffet lehnte er sich an die Wand. Er beobachtete die Menschen. Sein Köfferchen hielt er fest in der Hand. Nach einer Viertelstunde machte sich einer an ihn heran: «Suechsch Büez?» Kemal verstand nicht und blickte den Mann fragend an. «Arbeit?» sagte dieser. «Ja, vielleicht.» Der Kurde war vorsichtig. «Chasch tüütsch?» Er verstand wieder nicht. «Kannst du deutsch?» «Ein wenig», gab Kemal zurück. Der Schweizer musterte ihn von oben bis unten. «Keine Arbeitsbewilligung? Flüchtling?» fragte er. Kemal bejahte. «Ich wüßte etwas», sagte der andere, «bei einem Bauern.» «Ich bin Lehrer.» «Da kannst du nicht krampfen», meinte der Mann, «aber für Lehrer gibt es nichts. Schwarz nur bei Bauern oder in einer Beiz.» Kemal hatte nicht alles verstanden. Er überlegte. Er besaß nicht mehr viel Geld, und die Lebenskosten mußten hier herum hoch sein. Also besser für den Anfang irgend etwas, das Geld brachte. Später konnte er weitersehen. «Gut. Wo wäre das?» «Das kostet Geld.» «Wieviel? Ich habe nur noch wenig.» «Macht nichts. Kannst es später abzahlen, langsam. Einen Monatslohn Vermittlungsgebühr.» Der Kurde suchte den Preis herunterzumarkten. Der Schweizer blieb hart; er wußte, daß der andere auf ihn angewiesen war. Schließlich setzte Kemal seinen Namen unter einen rasch aufgesetzten kleinen Vertrag, und der Vermittler schrieb ihm eine Adresse auf. «Warte einen Augenblick; ich muß schnell telefonieren», sagte er und eilte zu einer nahen Telefonkabine. Als er zurückkehrte, sagte er: «Du fährst gleich nach Gelterkinden. Dort wartest du im Wartsaal. Der Bauer hat mir soeben gesagt, er werde dich dann abholen. Okay?» Merkwürdig: alle Vermittler oder Schlepper brauchten stets dieses «Okay!» Kemal nickte. Der Mann begleitete ihn zum Billetschalter und anschließend zum Zug, wiederholte «Gelterkinden, Wartsaal!», und Kemal stieg ein.

Außer dem Kurden befand sich niemand im Wartsaal, als der Bauer eintrat. Er musterte den Fremden kurz und fragte dann: «Kemal?», und als dieser nickte, «Komm!» Der Jeep brachte sie in einer zwanzigminütigen Fahrt zu einem abgelegenen Hof. Gesprochen wurde nichts. Auf dem Hofe lebten der Bauer und seine Frau, beide so um die vierzig herum, mit einem dreizehnjährigen Jungen und zwei kleinen Mädchen.

Kemal erhielt eine kleine Kammer über dem Stall. Er saß mit der Familie am Tisch und löffelte seine Suppe. Ihre Sprache verstand er nicht. Wenn sie sich an ihn wandten, redeten sie in Kurzsätzen in einer Art Deutsch. Nach dem Essen sagte der Bauer: «Morgen um fünf!» und Kemal war entlassen. Rosi, die Zehnjährige, zeigte dem neuen Knecht den Hof. Sie war ein fröhlicher Blondzopf und nannte ihm stolz die Namen der zwanzig Kühe. Als sie merkte, daß Kemal recht gut deutsch verstand, plauderte sie in ihrem Schuldeutsch munter drauflos. Nachdem die Bäuerin das Kind ins Haus gerufen hatte, wusch sich der Knecht gründlich im Stall, stapfte dann die enge Treppe zu seiner Kammer empor und legte sich schlafen. Er war recht zufrieden.

Die Arbeit, die der Bauer ihm am nächsten Tag zuwies, war anstrengend. Kemal war geschickt, faßte leicht auf und arbeitete zuverlässig. Als er beim Abendessen vorsichtig begann, von seinem Lohn zu sprechen, sagte der Bauer: «Numme nid gschprängt», um sich dann, weil der Knecht verständnislos dreinschaute, zu verbessern: «Da reden wir dann noch drüber.» Damit war das Thema abgetan.

Es war Sommer, es gab viel zu tun auf dem Hof. Kemal hatte sich eingearbeitet. Der Junge mied ihn; er schien ihn nicht zu mögen. Rosi hatte sich zu einem fröhlichen Kameraden entwickelt. Nach Feierabend saß sie oft mit Kemal auf dem Bänklein vor dem Stall und plauderte, oder sie schaute mit ihm ihre Schulbücher an. Die kleine Anna hing meist am Rockzipfel der Mutter.

Der Bauer war wortkarg; die Bäuerin steckte Kemal dann und wann etwas Eßbares zu, einen Wurstzipfel, ein Stück Kuchen, eine Flasche Fruchtsaft, — nachdem sie herausgefunden hatte, daß der Kurde kein Bier trank. Mit der Zeit begann sie, dem jungen Knecht Blicke zuzuwerfen oder gewisse Bemerkungen fallenzulassen, wenn der Bauer nicht in der Nähe war. Kemal wich ihr aus.

Am Monatsende fragte er den Bauern direkt nach seinem Lohn. Dieser druckste lange Zeit an etwas herum und rückte schließlich, als der Knecht nicht locker ließ, eine Hundertfrankennote heraus. Kemal fragte, ob das ein normaler Lohn sei. «Dreihundert Franken habe ich dem Buser, dem Arbeitsvermittler, für dich abbezahlt», knurrte der Bauer.

«Dann bekomme ich also vierhundert Franken Monatslohn und bin dem Buser noch hundert schuldig?» «Du bekommst 400 Franken bar, und für Kost und Logis berechne ich 800 Franken, das macht einen Monatslohn von 1200. Dem Buser schuldest du also noch 900 Franken.»

Kemal schwieg. Er hatte keine Ahnung, ob das alles hier so üblich sei und nahm sich vor, sich nächstens irgendwo zu erkundigen. Als er wenigstens eine Quittung für die dreihundert Franken verlangte, schimpfte der Bauer: «Ich hab's dem Buser gegeben, das tut's für dich!» und ließ ihn stehen.

Am Samstag sagte Kemal, er wolle ins Dorf gehen. «Nach dem Abendessen kannst du gehen», brummte der Bauer. «Ich habe noch keinen Tag frei genommen.»

«Im Sommer gibts nicht frei.»

Beim Essen stichelte die Bäuerin: «Suchst ein Weibchen, he?» Kemal schwieg. Ein Stück weit zeigte ihm Rosi den Weg. Dann eilte sie nach Hause zurück. Sie begriff gar nicht, daß Mutter sie so ausschimpfen konnte, weil sie für kurze Zeit weggeblieben war.

Nach einer Stunde erreichte Kemal Gelterkinden. In der Wirtschaft traf er einen Jugoslawen. Sie konnten sich radebrechend deutsch unterhalten. Gegenseitig fanden sie heraus, daß sie beide schwarz arbeiteten zu ungefähr gleich schlechten Bedingungen. Und beide kamen zum Schluß, daß es ihnen unmöglich war zu erfahren, ob sie korrekt bezahlt wurden. Wen sollten sie fragen? Beide fühlten, daß sie schlecht, sehr schlecht bezahlt wurden.

Die Wirtschaft füllte sich allmählich. Kein Mensch setzte sich an den Tisch der beiden Fremden. Man beachtete sie nicht, mied sie. Sie vereinbarten, sich wieder zu treffen.

Kemal hatte sich vorgenommen, vorläufig hier zu bleiben, seine Arbeit zu verrichten, die restliche Schuld abzuzahlen. Es wurde Herbst, Winter. Nachdem die letzte Rate der 1200 Franken an Buser gegangen war, händigte ihm der Bauer am Monatsende nur dreihundert Franken aus. Wintersüber könne er nicht so viel zahlen. Kemal begehrte auf. Der Bauer brummte: «Du kannst gehen, wenn du willst. Es wäre dann allerdings möglich, daß sie dich als Flüchtling ohne Aufenthaltsbewilligung in der Schweiz erwischen. Sie erwischen immer wieder einen.» Das war eine unverhüllte Drohung. Kemal fühlte sich ausgenutzt und gedemütigt — und er wußte, daß er sich nicht wehren konnte.

Wieder einmal trafen sich die beiden Ausländer in der Wirtschaft. Wieder blieben die Plätze rings um sie leer. «Wie ist das», fragte der Jugoslawe, «müßte es eigentlich nicht ein Gesetz in diesem Lande geben, wonach sich unsere Arbeitgeber strafbar machen? Sie haben uns schwarz angestellt.» Kemal wußte es nicht. Aber beiden dämmerte, daß sie vielleicht doch nicht ganz wehrlos waren.

Es war ein grimmiger Winter, die Arbeit im Wald forderte viel Kraft. Kemal machte die Kälte nichts aus, er war an Kälte und an harte Arbeit gewöhnt. Er arbeitete gleichmütig weiter, legte seinen kargen Lohn auf die Seite und hoffte auf den Frühling. In der knappen Freizeit las er hin und wieder in den Schulbüchern, die er sich vom Jungen auslieh, oder er plauderte mit der kleinen Rosi, erzählte ihr Märchen aus seiner fernen kurdischen Heimat.

Bisher hatte der junge Mann den Annäherungsversuchen der Bäuerin stets ausweichen können. Das machte sie nur um so begieriger. Dem Bauern blieb das Getue der Frau nicht verborgen; er wurde mißtrauisch.

Eines späten Nachmittags; der Bauer war zu einer Versammlung ins Dorf gefahren, Kemal lag angezogen in seiner Kammer auf dem Bett, trat die Frau unversehens durch die Tür. Kemal starrte sie wortlos an. Sie hatte sich zurecht gemacht und trug eine leichte, ausgeschnittene Bluse, die sie auf der linken Seite weit über die Schulter herabgezogen hatte. Sie setzte sich auf die Bettkante und sagte schmeichelnd: «Hältst du nichts von Frauen?» «Geh!» sagte der junge Mann mit trockener Kehle. Da warf sie sich über ihn. Er stieß sie von sich, schnellte zur Tür, riß sie auf und brüllte: «Geh! Raus!»

Von draußen drang das Geräusch eines Jeeps durchs Fenster. Sie kreischte: «So spring doch auf deine Kühe, du türkischer Hurenbock!»

Er stieß sie aus der Tür und schmetterte diese hinter ihr zu, daß die Wand zitterte. Sie eilte die Treppe hinunter, auf den Hof hinaus, geradewegs auf ihren Mann zu, der vom Jeep her auf den Stall zukam. Sie warf sich ihm in die Arme und heulte: «Er hat mich vergewaltigen wollen, der verdammte Sautürk!» Der Bauer stieß sie kalt von sich und sagte: «Und dazu hat er dich so herausgeputzt und dann in seine Kammer getragen!» Er ließ sie stehen, ging zum Stall und stampfte die Treppe hinauf. Als er die Tür öffnete, war Kemal bereits daran, seine Habseligkeiten zu packen. Noch zwei Handgriffe, und er schloß den Koffer. Die Männer starrten einander an. «Es ist besser, du gehst», sagte der Bauer mit mühsam beherrschter Stimme. «Ich gehe», sagte der Kurde, «wenn du mir den halben Monatslohn auszahlst, den ich zugute habe. Und es ist besser, die Polizei erwischt mich nicht; denn sonst erfährt sie, wer mich zu einem Hungerlohn schwarz arbeiten ließ.»

Wortlos klaubte der Bauer aus seinem Portemonnaie zwei Hunderternoten. Kemal nahm sie und verließ den Hof ohne Gruß. Es schmerzte ihn, als er im Fenster das erschrockene Gesichtchen Rosis entdeckte. Er senkte den Kopf, winkte der Kleinen scheu mit der Hand und schritt in den Winter hinaus davon.

Es war bereits dunkel, als er Gelterkinden erreichte. Er hielt sich nicht lange auf. Der nächste Zug brachte ihn nach Basel. Beim Kiosk traf er einen einzigen Ausländer, einen Kurden! Es war beißend kalt; die beiden beschlossen, im Büffet die Wärme zu suchen. Sie bestellten eine einfache Mahlzeit und schwiegen vor sich hin. Kemal dachte an die einsamen Monate zurück. Er hatte das Gefühl, einem Eistunnel entronnen zu sein. Wie hatte er das nur aushalten können, diese lange Isolation, die Kälte, dieses Ausgestoßensein! Ihm wurde klar, daß es die kleine Rosi gewesen war, die ihn am Leben gehalten hatte, die mit ihrer kindlich-menschlichen Zuwendung verhindert hatte, daß er sich ganz in sich selber zurückzog, daß er verdorrte. Kemals Herz taute auf.

Der Landsmann sprach von Kurdistan — vom autonomen Kurdistan, das einmal sein würde; in das sie, wenn auch vielleicht als alte Männer, aber einmal, dereinst heimkehren würden. Sie saßen lange beim Kaffee und träumten; schließlich fand Kemal für diese Nacht Unterschlupf bei seinem neuen Freund.

Mehmed Kaylyan erwies sich wirklich als Freund; er führte Kemal in einen Kreis von Landsleuten ein, er fand ihm eine Stelle, und er half ihm bei der Zimmersuche. Kemal arbeitete in einem Arbeiterrestaurant am Rande der Stadt. Die Frau führte den Betrieb allein; ihr Mann war kürzlich gestorben. Nun war sie froh, daß sie außer der Kellnerin noch eine starke Hand für alle schweren

Nebenarbeiten gefunden hatte. Die Zimmersuche war schwieriger. Vor mancher Türe wurden sie abgewiesen, nachdem man sie kaum angeschaut hatte: «Ausländer? Türken? Nein!»

Kemal schlief vorläufig bei Mehmed. Das mußte sehr heimlich geschehen. Mehmed hätte den Rausschmiß riskiert, wenn der Hauswart etwas gemerkt hätte. Wenn ein Zimmer zu haben gewesen wäre, dann war der Mietzins so hoch, daß Kemal den halben Monatslohn oder mehr hätte hinblättern müssen. Schließlich, nach über zwei Wochen fand er doch eine Bleibe in einem kleinen Zimmer in einer Bruchbude, die ein mildtätiger Mensch aufgekauft hatte, um einkommensschwache Ausländer günstig zu beherbergen. Er verlangte nur 250 Franken für ein Bett, und sie schliefen zu viert in zwei Kajütenbetten in dem engen Raum. Waschen konnten sie sich am Ende des Ganges neben dem WC.

Die Arbeit gefiel Kemal nicht schlecht, sie war abwechslungsreich. Das Essen war gut, die Wirtin behandelte ihn anständig; nach Ablauf einer zweiwöchigen Einarbeitungszeit erhöhte sie seinen Lohn. Er verdiente nicht viel; aber er war zufrieden. Der Kontakt mit seinen Landsleuten tat ihm gut. Einige hatten Verbindungen mit der Heimat, schickten Geld zur Unterstützung von Verwandten. Kemal hätte nicht gewußt, wen er unterstützen sollte. Die Tante in Izmir stand ihm zu fern, und, soweit er sich an ihren letzten Brief erinnerte, den er vor Jahren gelesen hatte, ging es ihr nicht schlecht.

Nachrichten aus der Heimat machten die Runde, Nachrichten von Unrecht, von Unterdrückung, von Folter und Gewalt. Kemal hörte etwas munkeln von einem Bombenattentat, das vorbereitet werden sollte. Sollte er mitdenken? War das der Kampf, den er seinem Vater versprochen hatte? Was konnte er sonst tun? Er hielt sich still und ging unauffällig seiner Arbeit nach.

Der Winter verging, es wurde Frühling. Kemal saß in freien Stunden oft am großen, ruhig fließenden Strom, las Zeitungen, türkische oder schweizerische. Er hatte sich einen Diktionär und ein Sprachlehrbuch beschafft und entwickelte seine Sprachkenntnisse systematisch. Auch die Basler Mundart war ihm nicht mehr unverständlich. Sein Leben lief in ruhigen Bahnen.

Einmal hörte er von Türken, deren Asylgesuche abgelehnt worden waren, daß sie gewaltsam ausgeschafft worden seien, per Flugzeug direkt nach Ankara oder Istanbul. Hätte das mit Kurden auch passieren können? Er wußte es nicht. Man nahm an, daß Kurden eher aufgenommen würden. Man wußte doch, daß sie da und dort verfolgt wurden. Was würde geschehen, wenn sie ihn erwischten? — Einige Nächte schlief er schlecht.

Und dann geschah es: Eines Vormittags standen plötzlich zwei Beamte in Zivil im Restaurant: Fremdenpolizei! Der Wirtin kündigten sie eine Strafanzeige an; sie hatte schwarz arbeiten lassen. Ihn nahmen sie mit. Möglicherweise hatte ihn jemand denunziert. Die Beamten waren kurz angebunden; alles Notwendige würde er im Amt erfahren. Kemal hatte plötzlich irrsinnige Angst. Was stand ihm bevor? Ausschaffung? Bilder tauchten vor seinem inneren Auge auf: das Gefängnis! Er roch den Gestank in der Zelle, er fühlte die Schläge an den Kopf. Kalter Schweiß machte ihn frösteln.

Man brachte ihn in eine Zelle und ließ ihn warten. Warten, warten! Immer warten! Gehörte das zur Methode? Die Schreckensbilder wuchsen, wurden drohender, finsterer, verdunkelten sein Bewußtsein. Nach zwanzig Minuten holte man ihn. Ihm war's wie eine Ewigkeit vorgekommen. In einem hellen Raume wurde er verhört. Als man feststellte, daß er sich leicht und sicher deutsch ausdrücken konnte, zog sich der Dolmetscher zurück. Der verhörende Beamte verhielt sich korrekt. Als er Kemals Angst wahrnahm, suchte er ihn zu beruhigen. «Sie stellen ein Asylgesuch. Dann bleiben sie vorläufig einmal sicher in unserem Land, bis darüber entschieden wird. Bis dann wird man Ihnen eine Unterkunft zuweisen.»

Man half Kemal beim Ausfüllen seines Gesuches. Er mußte genau Auskunft geben über seine Vergangenheit, besonders auch über den seinerzeitigen Aufenthalt in Deutschland, über sein Leben in der Türkei, seine Verwandten, seine Beziehungen, Ausbildung, die Gründe seiner Flucht, weshalb er ausgerechnet in die Schweiz gekommen sei usw. Er beruhigte sich langsam.

In Begleitung zweier Beamter in Zivil durfte er seine Habseligkeiten holen und das Notwendige erledigen. Die folgenden Tage verbrachte er in einem hotelartig eingerichteten großen Schiff auf dem Rhein. Er hielt Kontakt mit andern Flüchtlingen; sie redeten über ihre Sorgen. Alle hatten Angst, jeder hatte seine Gründe für die Flucht, jeder fürchtete das Ungewisse seines Schicksals, über das irgendwelche Beamte befanden, die ihn nicht kannten, die ihn beurteilen sollten, die glaubten, daß er sie belüge, was beim einen oder andern ja auch der Fall war.

Kemal wurde ins Asylantenheim Steghof nach Luzern verlegt. Es war ein mittelgroßes Hotel, in welchem der Kurde, zusammen mit zwei Landsleuten ein Zimmer bewohnte; einfach, aber zweckmäßig eingerichtet. Die Mahlzeiten nahm man mit anderen Flüchtlingen gemeinsam im Speisesaal ein. Betreuer, welche von verschiedenen Hilfswerken beauftragt waren, kümmerten sich um die Flüchtlinge.

Das Schlimmste — außer der Ungewißheit — war das Warten. Kemal mußte warten, bis er zur ärztlichen Untersuchung aufgeboten wurde. Vorher durfte er nichts arbeiten. Er hockte herum, las, spielte, diskutierte mit den Heiminsassen, flanierte durch die Stadt. Er erhielt ein bescheidenes Taschengeld — und mußte Daumendrehen. Er wollte arbeiten, aber er durfte nicht!

Es kam nun öfter vor, daß er nachts schlecht schlief. Manchmal hörte er sein Herz unregelmäßig schlagen. Warten, Ungewißheit, warten . . .

Die Stadt gefiel ihm. Sie hatte eine entfernte Ähnlichkeit mit Lugano, schien ihm etwas größer. Ein stark strömender Fluß teilte sie in zwei Teile; alte, herrschaftliche Häuser säumten die Ufer, die durch zwei uralte hölzerne und einige neuere Brücken miteinander verbunden waren. Türme und Kirchen setzten Akzente. In den Gassen und Straßen drängte sich eine internationale Menge; hinter den unzähligen Schaufenstern lockten dieselben Dinge, die er in Lugano schon bewundert hatte. Gegen Südosten glitzerten die Wasser eines großen Sees, im Hintergrund Schneeberge.

Am liebsten hielt er sich an der Reuß auf, so nannten sie den Fluß. Unter mächtigen Arkaden und am schräg abfallenden, gemauerten Ufer tummelten sich besonders viele junge Leute. Hier fielen Südländer oder Türken weniger auf. Es war ihm zwar hier schon ein Trupp junger Männer in Lederjacken begegnet, die ihn drohend umringten und knurrten: «Ussländerpack use!» Zwei hatten ihn gepackt und gegen den Fluß geschleudert. Dann hatten sie ihn in Ruhe gelassen. Die Leute ringsum hatten getan, als sei nichts passiert. Der Schreck war ihm gehörig in die Knochen gefahren. Andererseits hatte ihm einmal ein Mann im Vorbeigehen ein größeres Geldstück in die Tasche gesteckt, einfach so. Auch der hatte in ihm den armen Ausländer erkannt. Es war ihm etwas peinlich gewesen. Aber im allgemeinen beachtete man Ausländer am Reußufer nicht besonders. Das war in gewissen Stadtteilen anders. Dort sah er hin und wieder Ablehnung, sogar Haß in den Augen, und den Ausdruck «Schmarotzer» oder «Sautürk» hatte er schon mehrmals gehört. Er mied diese Gebiete. Kontakte mit den Luzernern gab es kaum, außer mit den Beamten oder Betreuern. Auch die Flüchtlinge hielten meist nach ihrer Herkunft zusammen, kümmerten sich wenig um andere. Er hatte sich daran gewöhnt — und wartete . . .

Es war ein wunderschöner Vorsommernachmittag, Kemal stand am Reußufer, und seine Augen gingen auf den weißen Gipfeln spazieren. Er träumte von seinem Dorf, von seinen Bergen, die den blauen Himmel trugen. Da legte sich eine Hand sanft auf seine Schulter und eine helle Frauenstimme rief: «Hoi, Thomas! Was machst denn du hier?» Er drehte sich um und blickte in ein interessantes Gesicht: große, graublaue Augen unter dunklem Haar, eine schmale, fast etwas zu kühn gebogene Nase, ein lachender Mund. Er hob erstaunt die Augenbrauen und lächelte verständnislos. Das Lächeln im Gesicht der Frau — sie mochte gleich alt sein wie er — erlosch; an seine Stelle trat binnen Sekunden ein fragendes Staunen: «Ja, ist denn das die Möglichkeit! Bist du's? Wo ist deine Brille?» Sie stutzte, blickte ihm scharf ins Gesicht und hob dann erschrocken die Hand zum Mund: «Du bist . . . Sie sind ja gar nicht Tommi! Entschuldigung!» Verlegen trat sie etwas zurück. «Nein, ich bin Kemal. Es tut mir aber leid, daß ich nicht Thomas bin.» Er lächelte entschuldigend. «Kemal?» fragte sie, «ist das nicht ein türkischer

Name?» «Stimmt!» «Ach so, darum also . . .» Sie nickte etwas geistesabwesend, «Ich heiße übrigens Isabelle», dann schüttelte sie den Kopf: «Merkwürdig . . .» «Finde ich auch», sagte er sarkastisch. Er verstand überhaupt nichts.

Sie machte eine Kopfbewegung, als müsse sie etwas abwerfen; dann legte sie ihre Hand auf seinen Ellbogen und sagte: «Ich muß Ihnen das erklären. Das ist fantastisch. Haben sie etwas Zeit?» «Zeit?» fragte Kemal. «Wieviel brauchen Sie: eine Stunde? Eine Woche? Einen Monat? Zeit ist das einzige, von dem ich genügend besitze. Ich hätte Zeit für eine Tasse Kaffee.» Er geleitete sie zu einem nahen Tischlein und bestellte zwei Espressi.

Sie begann: «Also, erstens: Entschuldigen Sie, bitte, daß ich Sie so angerempelt habe. Für gewöhnlich lache ich mir die Männer auf diskretere Weise an. Aber ich habe Sie tatsächlich verwechselt. Sie gleichen unheimlich einem meiner Freunde, einem Studienkollegen, Thomas heißt er, Thomas Walther. Tommis Mutter ist Türkin, das heißt, sie war. Sie hat seinerzeit hier in der Schweiz studiert und ist dann bei uns hängengeblieben, hat einen Schweizer geheiratet. Das vermag vielleicht ein bißchen die Ähnlichkeit zwischen Ihnen beiden zu erklären, Sie verstehen?» «Ja», entgegnete Kemal, «ich kann folgen.» Sie hatte ihn mit ihrem Ungestüm völlig überrumpelt. Er war nicht mehr an den Umgang mit Frauen gewöhnt. Aber sie faszinierte ihn, und er wollte das Gespräch auf keinen Fall abreißen lassen. «Was tut Ihr Freund?» «Thomas ist Lehrer, Sekundarlehrer.»

Nun mußte Kemal lachen. «Verrückt! Ich bin auch Lehrer», doch dann verlor sich sein Blick ein wenig, und er korrigierte sich, etwas leiser: «Ich war Lehrer . . . jetzt bin ich Knecht oder Tellerwäscher . . .» Sie schaute ihn an und sagte langsam: «Sie — sind Flüchtling?» «Sieht man mir wohl an, nicht?» Sie wurde lebhaft: «Dann sollten Sie doch Tommis Mutter kennen! Sie arbeitet zeitweise als Dolmetscherin im Flüchtlingsheim; eine kleine, etwas rundliche, schwarzhaarige Frau, hm, türkischer Typ, natürlich, um die fünfzig Jahre alt.»

«Für mich brauchen sie keine Dolmetscherin», erklärte der Kurde, «ich erinnere mich im übrigen nicht, bei uns im Steghof eine solche Frau gesehen zu haben.» «Frau Walther wohnt und arbeitet in Emmen; dort befindet sich ein größeres Heim. Im übrigen: Sie sprechen wirklich ausgezeichnet deutsch. Wo haben Sie das her?» Und nun erzählte Kemal ausführlich und lange seine Geschichte. Die Sonne stand schon tief über dem Pilatus, als sie aufstanden. Sie begleitete ihn ein Stück weit, über die Seebrücke bis zum Bahnhof. Dort wartete ihr Bus. «Ich muß dich unbedingt mit Thomas und seiner Mutter bekannt machen. Das wird eine Überraschung sein! Ich werde mich melden.» Sie stieg in den blauen Bus, und Kemal machte sich auf den Heimweg. In dieser Nacht schlug sein Herz hin und wieder auch unregelmäßig . . .

An den nächsten Tagen trafen sich Isabelle und Kemal mehrmals. Sie wurden von Frau Walther zum Essen eingeladen. Sie bewohnte mit Ihrem

Sohn eine hübsche Vierzimmerwohnung in Reußbühl. Thomas' Vater lebte nicht mehr. Obwohl die Mutter starke Unterschiede im Äußeren der beiden jungen Männer feststellte, war es doch frappant, wie sich der Schweizer und der Kurde ähnelten. Wenn Thomas seine Brille abnahm, konnte ein unbefangener Fremder ihn ohne weiteres für Kemal halten. In wenigen Tagen entwickelte sich eine echte Freundschaft zwischen den jungen Männern, und auch Thomas' Mutter schloß den jungen Kurden in ihr Herz.

Anläßlich der ärztlichen Untersuchung wurde festgestellt, daß Kemal unter leichten Herzrhythmusstörungen litt. Ihm wurde ein Medikament verschrieben, obwohl er eher an psychische als an organische Ursachen der Schwäche glaubte. Daß Isabelle der Grund sein könnte, glaubte er nicht, obwohl sein Herzschlag jedesmal fühlbar beschleunigt wurde, wenn sie sich trafen. Der ihre übrigens auch! Sie arbeitete an einer Diplomarbeit und konnte frei über ihre Zeit verfügen — und er hatte noch keine Arbeitsbewilligung erhalten. Sie trafen sich fast jeden zweiten Tag. Es war die glücklichste Zeit, die Kemal seit langem erlebt hatte.

Eines Morgens standen zwei Beamte in Zivil da und teilten Kemal mit, er müsse seine Sachen packen, unverzüglich. Der Arzt habe bestimmt, daß er für einige Tage zur Beobachtung ins Krankenhaus gehen müsse, sein Herz . . .

Kemal staunte; er fühlte sich nicht im mindesten krank und wandte sich an den Heimleiter. Dieser bestätigte ihm, die Ausweise der Beamten seien in Ordnung. Er müsse mit ihnen gehen. Man erlaubte dem Kurden, vorher zu telefonieren. Weder Thomas noch Isabelle waren zu erreichen. Die Polizisten drängten zur Eile. Kemal nahm sein Köfferchen und stieg arglos mit ihnen ins Auto. Als sie beim Bahnhof anhielten, schnappten Handschellen um Kemals Handgelenke. Er protestierte. Es half nichts: Letzthin sei ihnen einer während des Transportes ausgerissen; sie wollten nichts mehr riskieren! Wie einen Verbrecher führten sie den Kurden durch die Bahnhofshalle. Als Kemal laut reklamierte und wissen wollte, was da los sei, wohin sie ihn brächten, erfuhr er, daß man ihn nach Deutschland ausschaffe. «Nach Deutschland? Weshalb?» «Sie sind von dort in unser Land eingereist.» «Nein, das stimmt nicht!» «Doch!»

Sie brachten ihn zu einem Zug und sperrten ihn in ein vergittertes Abteil des Postwagens.

Kemal war allein. Sein Puls flatterte. Er hatte entsetzliche Angst. War das das Ende? Er hatte doch gar keinen Entscheid erhalten! Sein Gesuch war doch noch hängig! Er zitterte und schwitzte. Die Schreckensbilder stiegen wieder hoch. Er mochte sich beruhigen wie er wollte, sich einreden, er sei doch in einem Rechtsstaat. Es nützte nichts. Er wußte: Jetzt wirst du abgeschoben, ausgeschafft! Jetzt setzen sie dich ins Flugzeug nach Istanbul. Dort erwarten sie dich. Dann Gefängnis, Schläge! Du verfaulst im Loch.

«Ich will raus!» brüllte er, sinnlos vor Angst, «Laßt mich raus!» Sein Brüllen ging in Stammeln über, in Flüstern, — verstummte. Zusammengesunken saß er da. Das gleichmäßige Rattern der Räder blieb das einzige Geräusch. Langsam fing sich der junge Mann wieder auf. In Basel — er erkannte den Bahnhof — holten sie ihn aus dem Zuge. In Handschellen durch die gaffende Menge zu einem Auto; Fahrt durch die Stadt; aussteigen!

Man steckte ihn in ein Zimmer und ließ ihn warten. Das Fenster war geschlossen und vergittert. Kein Mensch, der mit ihm redete, keiner, der ihm Auskunft gab. Wieder Autofahrt. An der Grenze zu Deutschland — er kannte die schwarzrot-goldene Fahne — übergab man ihn deutschen Zollbeamten: «Da, der gehört euch!»

Man führte ihn in ein Büro: Verhör! Als er seinen Geburtsort nannte, sagten sie «Du lügst.» Alles andere nahmen sie ihm ab, aber geboren sei er in einer andern Stadt. Er zog seinen Paß hervor und bewies ihnen, daß sie sich irrten. Betretenes Schweigen, leise Fragen zwischen den Beamten, Telefonate. Er wurde wieder in eine Zelle gesteckt. Warten!

Er hatte keine Angst mehr. Er war nur noch leer. Es war nichts mehr in ihm. Man holte ihn wieder zurück in das Büro. Er solle beim Telefonieren zuhören. Man telefonierte mit Luzern: Ein Irrtum. Der Ausgelieferte hatte allerdings eine Zeitlang in Deutschland gelebt, Duisburg. Aber er ist nicht aus Deutschland in die Schweiz eingereist. Es handelt sich um einen anderen Türken. Name gleich, Geburtsdatum gleich, aber Geburtsort verschieden! Riesenzufall! Der andere wohnt und arbeitet immer noch in Deutschland. Hat deutsche Aufenthaltsbewilligung. Ja, ja. Tut uns leid. Sie müssen ihn zurücknehmen. Wir bringen ihn rüber. Ende!

Er hatte alles gehört und verstanden. Es blieb leer in ihm.

Man brachte ihn zurück an die Grenze. Er mußte drei Stunden warten, bis dieselben Luzerner Beamten ihn wieder in Empfang nahmen. Rückreise im versperrten Postwagenabteil. In Luzern Handschellen, durch den Bahnhof. «Sollen wir Sie mit dem Auto zum Steghof bringen?» «Nein, danke, ich kenne den Weg.» Man nahm ihm die Handschellen ab und ließ ihn gehen.

Etwas in dem jungen Manne war zerbrochen.

Isabelle hatte um fünf Uhr unter den Arkaden auf Kemal gewartet. Er war sonst immer vor ihr dort gewesen. Halb sechs! Was mochte los sein? War er krank? Er hätte doch telefoniert! Schließlich rief sie im Steghof an. Was! Man hatte ihn ins Krankenhaus gebracht! Weshalb? Wann? Wohin genau?

Im Spital wußten sie von nichts. Sie stand vor einem Rätsel. Sollte sie die Fremdenpolizei fragen? Die Büros waren gewiß nicht mehr offen. Ratlos starrte sie ins Wasser. Sie entschloß sich, zum Steghof zu fahren und dort genauer nachzufragen.

Als sie aus dem Bus stieg, sah sie Kemal, der, die Hände in den Hosentaschen, apathisch über die Straße zum Hoteleingang trottete. Er sah so verloren aus! Sie holte ihn ein und legte ihm, wie schon einmal, sanft die Hand auf die Schulter: «Hoi, Kemal! Wo kommst du her?»

Er blickte sie ohne Lächeln an: «Aus der Türkei!» Sie fühlte, daß er vollkommen erledigt war. «Komm! Wir gehen miteinander essen. Ich lade dich ein. Warte einen Augenblick.» Während er willenlos stehenblieb, begab sie sich ins Büro und meldete den Kurden für den Abend ab.

Kemal aß schweigsam, vergaß zwischendurch anscheinend, wo er war und starrte Löcher ins Tischtuch. Isabelle brachte ihn durch behutsame Fragen zum Reden. Bruchstückweise erzählte er, was ihm heute widerfahren war, und dann brach es aus ihm heraus: «Wer sind wir denn, wir Asylanten, hier in eurem freien, demokratischen Land? Sind wir Menschen? Man behandelt uns wie Vieh! Wie einen Verbrecher haben sie mich durch die Leute geführt. Sie lassen mich eingesperrt warten wie einen Hund. Sie foltern mich, indem sie mich stundenlang im unklaren lassen. Sie treten die Menschenrechte mit Füßen, wie in meinem Heimatland. Was habe ich verbrochen? Ich habe euch um die Möglichkeit gebeten, überleben zu dürfen. Ihr nennt uns Schmarotzer. Mich hat man in der Türkei verfolgt, weil ich Kurde bin. Andere sind aus ihrer Heimat geflohen, weil sie dort verhungern würden. Was nehmen wir euch weg? Wir tun die

Dreckarbeit, die ohnehin kein Schweizer verrichten würde. Nehmen wir euch euer letztes Brot weg? Habt ihr zuwenig zum Leben? Ihr behandelt uns wie den letzten Dreck, als ob wir Aussätzige wären. Warum haßt ihr uns? Weil ich Kurde bin? Wo ist da der Unterschied zwischen Türken und Schweizern?» Er konnte nicht mehr, barg sein Gesicht in den Händen und schluchzte wie ein Kind.

Isabelle wußte nicht was antworten. Sie ließ ihm Zeit und legte ihm beruhigend die Hand auf die Schulter. Schließlich sagte sie: «Laß uns gehen. Den Kaffee trinken wir bei mir zu Hause.» Sie wollte ihn jetzt nicht allein lassen.

In dem freundlichen, warmen Zimmer fing Kemal sich langsam auf.

«Du hast heute einen schlimmen Tag gehabt», sagte Isabelle. «Die Polizisten haben dich schlecht, unrecht behandelt. Aber sie sind auch nur Menschen; wer weiß, was sie schon auf solchen Transportreisen erlebt haben.» Kemal unterbrach sie: «Transport! Schon das Wort sagt, was wir sind: Viehtransport!» Er war verbittert, und Isabelle begriff, daß es keinen Sinn hatte, jetzt mit ihm zu diskutieren. Schweigend saßen sie einander gegenüber.

Der Kaffee war längst kalt geworden, die rote Kerze fast niedergebrannt. «Komm!» sagte Isabelle, stand auf und begann ruhig, ihm die Kleider vom Leibe zu nehmen. Er ließ es geschehen. Sie legte ihn in ihr Bett, entkleidete sich, schlüpfte zu ihm und heilte seine erfrorene Seele mit ihrem warmen Körper.

Es war Montagmorgen, als Kemal die Arbeitsbewilligung gleichzeitig mit der Aufforderung erhielt, sich im Arbeitsamt zu melden. Frohgemut machte er sich auf den Weg. Sein Trauma hatte er einigermaßen verdrängt.

Er erwartete nicht, als Lehrer arbeiten zu dürfen, wußte, daß es irgendeine untergeordnete Arbeit sein würde. In einer Art Galgenhumor mußte er nun aber doch lachen, als er erfuhr, wo es für ihn einen Platz gab: bei der Müllabfuhr! Er erinnerte sich seines Aufenthaltes in der westtürkischen Kleinstadt, als er, wie damals in Türkisch, jetzt in deutscher Sprache fast dieselben Anweisungen auf dem Zettel las: Er habe sich zu der und der Zeit im Büro des Kehrichtabfuhrwesens dort und dort zu melden.

«Wenn du keine Wahl hast, dann tue das, was du tun mußt, mit Gelassenheit», sagte er sich und begann seine Arbeit im städtischen Überkleid und mit riesigen städtischen Gummihandschuhen. Zusammen mit einem Tamilen und einem Schweizer stand er auf dem Trittbrett im Diesel- und Abfalldunst. Was tat's! Die Ohrfeigen des Lebens hatten ihn gelehrt, mit wenig zufrieden zu sein. Er bezog einen rechten Lohn, hatte eine sichere Unterkunft und bekam genug zu essen. Der Schweizer, ein gutmütiger Riese, und der feingliedrige, freundliche Tamile waren gute Kollegen. Der Unterschied war der, daß der Tamile — mit dem er sich englisch radebrechend verständigen konnte — und er selber ständig unter dem Damoklesschwert ihrer Ausweisung standen, während der Schweizer diesbezüglich keine Sorgen hatte. Auf diese Tatsache führte Kemal seinen unregelmäßigen Puls zurück. Im übrigen traf er nach Feierabend oft Isabelle. Das Leben war schön. Manchmal saßen sie zu dritt oder viert in Frau Walthers Wohnung — Thomas war nicht jedesmal dabei, er jobbte in Zürich und kam oft sehr spät nach Hause — aßen miteinander oder tranken Kaffee und knabberten Nüsse. Die Diskussionen führten durch alle Gebiete: Politik, Religion, Macht, Sex, Aids, Umweltverschmutzung. So wie die drei Schweizer aufgeklärte Christen waren, war Kemal als Alevit ein aufgeklärter Moslem, und beide Seiten fanden heraus, daß mehr Verwandtschaft und Ähnlichkeit in den beiden Religionen lagen, als sie gewußt hatten. Die Gespräche dauerten oft bis tief in die Nacht hinein. Kemal nannte Frau Walther mit dem türkischen Wort für Mutter: Amma; sie hatte gewünscht, daß er sie so rief, wie ihr eigener Sohn Thomas es tat. Sie nannte ihn spaßeshalber oft «mein kurdisches Söhnlein». Sie bemühte sich darum, ihm eine angemessenere Arbeit zu verschaffen. Vielleicht könnte man ihn irgendwo als Dolmetscher einsetzen. «Es wird sich gewiß einmal etwas Richtiges finden», sagte sie.

Der Sommer wuchs, Kemal stellte fest, daß die Luzerner Unmengen von Müll produzierten. Es war unglaublich, was alles im Kehrichtwagen landete. Das tamilisch-schweizerisch-kurdische Team auf dem Trittbrett hatte sich eingespielt. Kemal lebte von Tag zu Tage und dachte möglichst wenig an die Amtsstellen, die sein Asylgesuch behandeln würden.

Sonntag nachmittag; er saß mit Thomas an der Reuß, das Wasser plätscherte unmittelbar unter ihren Füßen. «Was tust du eigentlich in Zürich?» «Verkaufen. In einem Electronic-Laden.» «Du bist doch Lehrer! Warum arbeitest du nicht auf deinem Beruf?» «Für Sprachlehrer gibt's keine Stellen. Ich hatte mal eine Stellvertretung, Englisch, an einer Sekundarschule in Sursee. Aber das dauerte nur ein paar Monate. Dann kam der Kollege aus seinem Militärdienst zurück.» «Und jetzt?» «Jetzt jobbe ich eben. Irgendwann werde ich sicher als Lehrer arbeiten. Ich habe ungefähr acht Bewerbungen laufen, bin an mehreren Orten vorgemerkt.» «Hast du keine Freundin?» «Nicht mehr», Thomas zuckte die Schultern. «Hat mich sitzen lassen, noch nicht lange her. Aber es hatte sich ohnehin überlebt. Manchmal gleitet die Liebe einfach langsam weg.» Das hatte er wie ein erfahrener, alter Mann gesagt. «Stimmt», sagte Kemal, «mir ist's ähnlich ergangen. Meine Arbeit hatte ich zwar: Ich führte die Dorfschule. Aber meine Freundin verließ das Dorf, zog nach Westen in eine große Stadt. Anfänglich schrieben wir uns. Wir glaubten beide, wir würden uns wiedersehen. Aber dann ist die Sache auch eingeschlafen.»

Thomas wechselte das Thema: «Du, hast du mir nicht letzthin von dem hochnäsigen Kellner erzählt, der dich auf die Straße gesetzt hat; Türken würden hier nicht bedient, oder so?» «Das war der Geschäftsführer, der mich hinauskomplimentiert hat; aber mit dem Kellner hat's angefangen.» «Wo war das schon wieder?» «Im Montecristo.» «Ich habe unbezähmbare Lust auf eine Tasse Kaffee in einem Nobelrestaurant», sagte Thomas, «Komm, laß uns ins Montecristo gehen! Ich habe da so eine Idee für ein wunderschönes Spielchen. Zum Glück tragen wir beide augenblicklich die gleiche Jeansjacke!»

Sie machten sich auf den Weg, und Thomas erklärte seinem Freund, was er sich ausgeheckt hatte.

Unauffällig suchten beide vorerst die Toilette im Montecristo auf: Spiegel, gedämpftes Licht, leise Musik . . . Kemal schloß sich ein, Thomas trat ins Restaurant und setzte sich an einen Tisch in der Mitte des Raumes. Als der Kellner nach zwei Minuten immer noch am Büffet stehenblieb, rief er: «Eine Tasse Kaffee, bitte!» Der Kellner reagierte nicht, und Thomas wiederholte die Bestellung, etwas lauter. Mit unmißverständlicher Gebärde wies der Kellner auf die Tür, und ebenso unmißverständlich rief Thomas zum drittenmal nach einer Tasse Kaffee. Schließlich trat der Kellner näher und zischte: «Erinnerst du dich nicht, daß wir dich hier drin nicht wollen?» «Ich erinnere mich nicht, daß du mir so etwas gesagt hättest. Und wenn der Kaffee nicht bald kommt, mache ich Lärm!» Der

Kellner bekam einen roten Kopf und holte den Geschäftsführer. Dieser beugte sich zu Thomas herab und sagte scharf: «Verlassen Sie sofort das Lokal!» «Wieso?» «In unserem gediegenen Restaurant haben wir keinen Platz für mittellose Asylanten. Und jetzt raus!» Da zog Thomas seinen Schweizer Paß aus der Tasche, zeigte ihn lächelnd dem verblüfften Mann und sagte in breitestem Luzerndeutsch: «Ech be Schwiizer, und Gäld hani au, und wenn Si wend, daß ech e Cravatte alegge: ech hätt eini biimer», und fügte dann gelassen hinzu: «Im übrigen sind Sie, meines Wissens, gemäß Wirtschaftsgesetz verpflichtet, Ihre Gäste zu bedienen. Eine Tasse Kaffee, bitte!» Der Geschäftsführer räusperte sich, zog sich verdutzt zurück und gab dem Kellner einen Wink, worauf Thomas seinen Kaffee ohne weiteres erhielt. Er trank ein bißchen davon, holte sich eine Zeitung, blätterte kurz darin, legte sie auf den Tisch, stand auf und ging zur Toilette. Kurze Zeit später betrat Kemal das Restaurant. Er trug Thomas' Brille auf der Nase, setzte sich an einen anderen Tisch und wartete. Unsicher kam der Kellner auf ihn zu. «Einen Schwarztee mit Zitrone, bitte und eine Tageszeitung!» «Aber, Sie haben doch einen Kaffee bestellt! Soll ich ihn Ihnen herüberbringen?» «Ich habe keinen Kaffee bestellt. Bringen Sie mir einen Tee!» sagte Kemal barsch. Der Kellner gehorchte und brachte das Gewünschte. Bald verließ Kemal den Raum, — Thomas setzte sich zu seinem Kaffee. Verstört blickte der Kellner ihn an, dann holte er den Geschäftsführer. Dieser trat an den Tisch und sagte: «Mein Herr, Sie können nicht zwei Tische belegen. An welchen Tisch darf ich Ihnen Ihre beiden Getränke bringen lassen?» «Mein Herr», erwiderte Thomas, «ich habe nur diesen Kaffee bestellt und beliebe ihn hier zu trinken.» Der Geschäftsführer wußte nicht, was er tun sollte, wurde rot und blickte ratlos drein. In diesem Augenblick kehrte Kemal zurück, ging gemächlich zu seinem Tee und setzte sich. Kellner und Geschäftsführer blickten unsicher auf den einen, dann auf den andern, zuletzt schauten sie sich gegenseitig verdattert an. Thomas lächelte und sagte laut: «Sehen Sie, das ist halt schwierig. Vielleicht bedienen Sie in Zukunft einfach Menschen, nicht Schweizer oder Kurden oder Schwarze oder Weiße. Komm, Kemal! Auf Wiedersehen, die Herren!» Er legte genügend Geld für die zwei Getränke auf den Tisch, und die beiden verließen zufrieden das gediegene Lokal. Verschiedene Gäste hatten den Vorfall bemerkt. Einige schmunzelten, andere schüttelten mißbilligend ihre gepflegten Frisuren. Auf der Straße legte Thomas seinem Freund den Arm auf die Schulter und meinte: «Es war möglicherweise schon ein wenig kindisch. Aber es hat uns gutgetan, und: Man muß die Leute immer wieder zum Nachdenken anregen. Vielleicht nützt's doch etwas.»

Sie fuhren den See entlang Richtung Gotthard, dieselbe Strecke, die Kemal seinerzeit von Lugano her per Autostop zurückgelegt hatte. Thomas chauffierte den Wagen seiner Mutter, Isabelle und Kemal saßen im Fond. Der Kurde erzählte von der freundlichen Dame mit dem Mercedes-Coupé. Sie waren nach Altdorf zu einer Besprechung eingeladen. In einem Restaurant diskutierten sie mit einigen Leuten einen großartigen Vorschlag, den die Altdorfer vorgebracht hatten: Zur Feier des Ersten August — Kemal erfuhr, daß dies der schweizerische Nationalfeiertag ist — wollte man eine Gruppe von Asylanten einladen, gemäß einer Maxime der schweizerischen Politik: Solidarität! Begeistert redeten sie sich die Köpfe heiß, schmiedeten Pläne. Auf der Heimreise wurde über mögliche Festbeiträge der Flüchtlinge gesprochen. Kemal stellte Kontakte her zu den Asylanten in Emmen. Einige wollten nichts davon wissen, andere fanden es eine schöne Möglichkeit, mit Schweizern in menschliche Beziehung zu treten. Man traf entsprechende Vorbereitungen und freute sich auf das Fest. Wenige Tage vor dem 1. August traf ein Brief aus Altdorf ein: Die Flüchtlinge wurden ausgeladen. Die Altdorfer hatten Drohbriefe erhalten, am Fest würde es zu Schlägereien kommen, wenn Asylanten eingeladen würden. Es hatte harte Diskussionen im Gemeinderat gegeben. Dem Frieden im Dorf zuliebe beugten sich die Befürworter der Einladung der Gewaltdrohung. Die Enttäuschung bei den Flüchtlingen war groß.

Für viele war dies ein neuer Beweis der Überheblichkeit der Schweizer. Thomas empörte sich: «Ich schäme mich bald, Schweizer genannt zu werden! Kein Rückgrat haben die!» Kemal sah das ein wenig anders. «Ich kann's verstehen», sagte er, «obwohl es bitter schmerzt. Aber der Friede im Dorf ist etwas wert. Es ist schlimm, und oft falsch, sich der Gewalt zu beugen. Ob man jedoch mit einer gestörten Feier, einer Feier unter Polizeischutz, mit Gegengewalt also, die Leute überzeugen kann, das ist sehr fraglich. Man muß andere Mittel finden.»

Das war Kemals Theorie. Die Praxis sah dann nach zwei Tagen etwas anders aus. Sie hatten Müllkübel geleert. Der schwere Wagen fuhr an; es dröhnte ordentlich in der engen Straße, die drei Männer sprangen aufs Trittbrett. Nach siebzig Metern: Halt, weitere Kübel! Da hörten sie Schreie und Gebrüll, ganz in der Nähe. Unmittelbar vor dem Müllauto hatten zehn, zwölf Lederjacken eine vierköpfige Tamilengruppe an der Hauswand zusammengetrieben, auf die sie nun brutal einschlugen. Einige Passanten schauten entsetzt zu, niemand unternahm etwas. Kemal sah plötzlich nur noch rot. Brüllend wie ein Stier rannte er auf die Schläger los und schwang dem ersten den leeren Kübel in die Seite. Der nächste, der ihn angriff, erhielt vom Kurden einen Tritt, daß er zur Seite flog. Zwei Lederjacken stürzten sich auf Kemal. Er ging zu Boden, kam aber wieder auf die Beine. Inzwischen hatte sich Kemals Schweizer Kollege auch entschlossen. Wie eine Lokomotive raste er mit zwei Kübeln auf die Schwarzjacken zu und ließ sie den nächsten auf den Rücken donnern. Den Schlägern sank der Mut; mit zwei Verrückten hatten sie nicht gerechnet, sie rissen aus. Die beiden Müllmänner rannten ihnen drohend noch ein paar Schritte nach, dann war der Spuk vorbei. Der Schweizer stellte die verbeulten Eimer ab, zog seinen Gummihandschuh aus, grinste, packte Kemals Rechte und preßte ihm die Finger zusammen. «Das war wie bei Sempach!» schnaufte er fröhlich. Der Kurde hielt sich das Taschentuch an die blutende Nase, nickte und blickte seinen Kumpel dankbar an. Die Tamilen wußten noch nicht recht, was geschehen war. Da heulte mit Blaulicht und Sirene ein Polizeiauto um die Ecke. Eine Gruppe Polizisten stürzte herbei und umringte die Müllmänner und die Tamilen. Der Polizeiwachtmeister wurde nicht klug aus dem, was er von allen gleichzeitig hörte und gebot Ruhe. Ein älterer Passant und der Müllwagenfahrer mischten sich ein und erklärten, was sie gesehen hatten. Die Personalien der Beteiligten wurden aufgenommen, ein verletzter Tamile zum Polizeiwagen getragen. Zuletzt sagte der Wachtmeister in freundlich-belehrendem Ton zu Kemal: «Nach dem, was ich gehört habe, lasse ich Sie jetzt gehen. Aber mischen Sie sich nicht wieder in eine Schlägerei ein! Sie machen sich unter Umständen strafbar. Es ist die Aufgabe der Polizei, in solchen Fällen zum Rechten zu sehen.» «Und wenn die Polizei nicht da ist?» «Es ist ein Risiko», schloß der Polizist. «Das stimmt: Es ist ein Risiko.» Kemal nickte und wischte sich das Blut von der Nase.

Kemal saß wieder mal an der Reuß und wartete auf Isabelle. Ein süßlicher Duft stieg ihm in die Nase. «Tag, Landsmann», klang's in türkischer Sprache an sein Ohr. Er drehte den Kopf; ein Unbekannter ließ sich neben ihm nieder. «Riecht gut», sagte der Fremde, «Willst du was von dem?» und er schnupperte. «Danke», sagte Kemal, «ich rauche kein Haschisch.»

«Lieber Schnee?» «Danke, auch das nicht. Gar nichts.» «Schade, du verpaßt was. Man kann auch sein Taschengeld damit aufpolieren. Hättest du Interesse?» «Nein!» Kemal war kurz angebunden. Der Fremde blieb sitzen und begann sich eine Zigarette zu drehen. Er sog den Rauch tief ein und fragte dann: «Hast du Interesse an Uhren? Ich hätte eine schöne, Gold!» «Hast du ein Warenhaus?» fragte Kemal. «Nein. Aber schau!» Und er zog zwei goldfarbene Armbanduhren aus der Tasche. «Hübsche Dinger, was? Lassen sich gut verkaufen. Auch damit läßt sich Geld verdienen.» «Woher hast du die?» fragte der Kurde.

«Wir kaufen sie günstig ein, da und dort. Ich leite eine gut funktionierende Einkäufer- und Verkäufergruppe. Man kann recht gut leben dabei. Wir suchen immer tüchtige Leute; wenn's dich interessiert . . .» «Mich interessiert gar nichts.» Kemal erhob sich und ließ den Fremden sitzen. Auch solche gab's unter den Flüchtlingen; das wußte er, und sie machten vieles kaputt.

Als er an diesem Abend spät nach Hause kam, fand er einen Zettel auf seinem Bett: Mehmed habe angerufen, er solle ihm morgen über Mittag zurücktelefonieren. Die Nummer stand dabei. Er lag lange wach diese Nacht. Der Anruf hatte alte Erinnerungen in ihm geweckt. Kurdistan, das autonome Kurdistan! Wie stand es mit seinem Versprechen? Hatte Vater, hatte Atmaca umsonst gelitten? Was tat er für sein Heimatland? Hatte er es vergessen? Er kam sich vor, als lebte er als fette Made im saftigen Käse. Andere kämpften, setzten ihr Leben ein, sein Bruder Rahmin zum Beispiel. Und er? Er selber?

Er rief Mehmed an, und sie vereinbarten eine Zusammenkunft. Sie trafen sich in Basel, in dem Restaurant, wo Kemal gearbeitet hatte. Die Wirtin freute sich, ihn wieder zu sehen. Nachdem sie alte Erinnerungen ausgegraben hatten, sprachen sie über ihr Kurdistan. Mehmed konnte Zukunftsbilder entwerfen, die Kemal freier atmen ließen; eine eigenartige, begeisternde Kraft schien von ihm auszuströmen. «Du hast nicht etwa vergessen, daß du Kurde bist, oder?» Sein Blick brannte wie Feuer. «Du wirst etwas tun für unsere Sache!» Kemal dachte an seinen Vater. Er nickte. «Wir vertrauen auf dich. Wir brauchen dich. Du suchst in den nächsten Tagen Rashid auf. Er wohnt in Emmen. Da hast du seine Telefonnummer. Er erwartet dich, wird mit dir reden.» Irgendwie war Kemal erleichtert, als er wieder im Zuge saß; trotzdem nahm er sich den Besuch vor.

Rashid kam schnell zur Sache. «Du bist der einzige hier herum, dem wir vertrauen können. Mehmed kennt dich. Unser Kampf muß aktiv sein. Wir können nicht ewig zuwarten, wir müssen schlagen, oder wenigstens stechen. Nirgends auf der Welt darf sich ein Türke sicher fühlen, solange sie unser Volk unterdrücken! Unsere Schläge richten sich gegen türkische Einrichtungen in der Schweiz. Unser erster Auftrag ist, Sprengstoff zu beschaffen. Ich weiß, wo wir ihn finden; aber allein kann ich's nicht tun. Du hilfst?» Kemal zögerte; er ahnte, daß er sich da in etwas einließ, das sein Leben verändern konnte. Aber er hatte dem Vater Kampf versprochen, und bis jetzt hatte er nichts unternommen. Das war die Gelegenheit! Er nickte: «Ich mache mit.»

Der andere schaute ihm eine Ewigkeit prüfend ins Gesicht. Kemal hielt dem Blick stand. «Gut», begann Rashid, «die Sache steigt am kommenden Samstag, nachts. Ich arbeite hier im Wald. In unserm Forsthaus liegen Dynamit und Zünder. Wir brauchen das, um Wurzelstöcke zu sprengen. Allein kann ich das Zeug nicht holen, das dauert zu lange. Du beschaffst dir eine gute Metallsäge; nimm ein neues Reserveblatt mit. Alles übrige besorge ich. Du bist um Mitternacht dort vorn bei der Straßenkreuzung! Wenn möglich, kommst du in Gummistiefeln, wir gehen durch Wasser, wegen der Hunde.» Kemal blickte durch das Fenster zur Kreuzung und nickte. «Ich werde pünktlich sein.»

Nachts wälzte er sich schlaflos hin und her. Er spürte den unregelmäßigen Herzschlag. Er dachte an seinen Vater, an sein Dorf. Er sah das zerschlagene Gesicht des Vaters, die entstellten Züge auf der Fotografie des Bruders. Der Hauptmann stieß seine unmenschlichen Befehle hervor, die Bulldozer zermalmten das Dorf. Sie hatten ihn aus der Heimat vertrieben. Nirgends auf der Welt darf sich ein Türke sicher fühlen, solange sie unser Volk unterdrücken!

Am Samstagabend zog er sich früh in sein Zimmer zurück. Halb zwölf verließ er heimlich den Steghof. Er hatte sich ein Fahrrad beschafft und stand pünktlich zur abgemachten Zeit an der Straßenkreuzung. Ein Wagen rollte langsam heran, die Tür öffnete sich einen Spalt breit: Rashid! Kemal stieg ein, und sie fuhren los. Sie redeten kaum. Eine Viertelstunde später verließen sie das Auto, Rashid ging voran, Kemal folgte. Ein Stück weit wateten sie durch ein Bachbett, Rashid schien den Weg genau zu kennen. Schließlich erkannte Kemal den dunklen Umriß eines Blockhauses. «Wir sind da; dort hinten ist's.» Hinter dem Blockhaus befand sich ein Nebengebäude, garagengroß.

«Warte!» Die beiden Männer standen schweigend da und lauschten eine Weile. Außer dem leichten Rauschen des Windes war nichts zu hören. Rashid drückte Kemal eine kleine Taschenlampe in die Hand und raunte: «Wir müssen die Scharniere durchsägen. Du nimmst das untere!» Zwei schwache Lichter glitten den Türrahmen entlang, die Männer suchten den günstigsten Ansatzpunkt, dann hörte man das Kratzen und Knirschen der Sägen. Sie arbeiteten meist im Dunkeln, unterbrachen, um zu lauschen, kontrollierten nur dann und wann den Fortgang der Arbeit. Fast gleichzeitig hatten sie es geschafft. Gemeinsam hoben sie die schwere Tür etwas zur Seite. Im Innern der Hütte harrte ihrer das schwerste Stück Arbeit. Der Sprengstoff und die Zünder lagen getrennt in zwei verschiedenen, in den Boden eingelassenen Betonkisten.

Über eine Stunde lang pickelten, bohrten, sägten die Männer sich durch Beton und Eisenteile, bis sie ihr Ziel erreichten. Einige Kilo Dynamit in kleinen Beuteln, etwas plastischer Sprengstoff und eine gute Handvoll Zünder waren ihre Beute. Rashid steckte das Zeug in einen soliden Plastikbeutel und verstaute es in seinem Rucksack. Sorgfältig vergewisserten sie sich, ob kein Werkzeug liegengeblieben sei, spähten vorerst eine Weile ins Dunkel und traten dann den Rückweg an. Sie wateten noch im Bachbett, als Kemal seinen Vordermann stürzen und unterdrückt aufschreien hörte. Er war über eine Schwelle etwa anderthalb Meter tief gefallen. Kemal hörte ihn leise stöhnen und kletterte vorsichtig zu ihm hinunter. Ein Fuß schien gebrochen oder verstaucht oder ein Band gerissen zu sein. «Wir sind zu weit gegangen», knirschte Rashid, «zehn, zwanzig Meter. Oben rechts müssen wir auf den Weg stoßen.» Er konnte nicht mehr gehen, Kemal schleppte ihn. Zum Glück war es nicht mehr allzu weit bis zum Wagen. Sie fuhren einige Kilometer zurück, Kemal chauffierte, bis Rashid Halt gebot. «Geh dort hinauf zum Waldrand. Wenn du dich nach rechts wendest, wirst du nach fünfzig, sechzig Schritten zu einem leichten Waldvorsprung gelangen. Zuvorderst steht dort eine auffallend mächtige Tanne, du erkennst sie an dem dicken Wurzelstrang, der sich S-förmig gegen die Wiese hinauszieht. Du mißt vom Baumstamm genau gegen Süden — du siehst den Polarstern? — fünf Spatenlängen ab und vergräbst das Zeug. Mach schnell!»

Kemal nahm den Plastiksack und den Spaten und ging. Er arbeitete im Sternenlicht und beeilte sich. Zuletzt streute er Tannennadeln und Reisig über die frische Grube, kontrollierte kurz mit der Taschenlampe und kehrte zum Auto zurück. Sie fuhren weiter, säuberten sich notdürftig unter einer Straßenlaterne und erreichten Rashids Wohnung. Kemal wollte ihm weiterhelfen, doch Rashid sprach: «Laß mich. Ich werde es schon irgendwie schaffen. Besser, man sieht dich jetzt nicht hier. Du wirst Bericht erhalten.»

Ein Blick auf den Osthimmel ließ bereits den Tag ahnen, als Kemal sich in sein Zimmer schlich.

Dienstagabend, Frau Walther hatte sie zu einem frühen Abendessen eingeladen. Es war ein friedliches Beisammensein. Thomas hatte seinen Job aufgegeben, eine Sommerpause eingelegt; er wollte sich auf ein weiteres Sprachdiplom vorbereiten. Kemal fühlte sich wohl hier. An sein hängiges Asylgesuch dachte er im Augenblick nicht.

Auf dem Heimweg sagte Isabelle: «Du bist verändert, seit ein paar Tagen.» «So?» «Ja. Ich weiß nicht, was es ist. Du bist irgendwie verschlossen geworden, hart.» «Vielleicht.» «Was ist los? Hast du Kummer? Hast du irgendeinen Bericht bekommen? Dein Gesuch?» «Es ist nichts. Es ist alles normal.» Er blieb einsilbig.

«Macht dir dein Herz zu schaffen?» Er scherzte: «Ja. Mein Herz macht mir immer zu schaffen, wenn du in der Nähe bist», legte ihr den Arm um die Schulter und zog sie an sich. Sie schmiegte sich an ihn. Schweigend gingen sie weiter. Isabelle fühlte, daß etwas anders war. Etwas lastete auf ihrem Freund.

Rashid meldete sich nach einer Woche: Er solle ihn in Emmen besuchen. Nun saß Kemal bei ihm und betrachtete den eingegipsten Fuß.

«Du siehst», begann Rashid, «ich bin außer Gefecht. Du mußt es allein tun. Nicht alles: nur den Sprengstofftransport. Kannst du dich morgen nachmittag krank melden?» «Schwierig», brummte Kemal. «Du mußt! Morgen nachmittag und Samstag mußt du freinehmen. Wir brauchen dich. Ich kann nicht fahren. Du holst — wenn du willst, heute abend noch — mein Auto kannst du haben — die Hälfte des Dynamits und der Zünder; vom plastischen Sprengstoff nimmst du alles mit. Morgen nachmittag um vier triffst du Mehmed im Bahnhofbuffet II. Klasse in Olten. Du wirst erst am Sonntag zurückkehren. Alles weitere wirst du von Mehmed erfahren.» «Worum geht's?» wollte Kemal wissen, doch Rashid blieb zugeknöpft: «Türkische Objekte. Morgen!»

Wieder gab es eine halbe schlaflose Nacht für Kemal. Wieder peinigten ihn die Bilder: der grausame Hauptmann, das zertrümmerte Dorf, der tote Bruder, das Gefängnis. Wieder gelobte er seinem Vater Kampf, Rache! Aber dann mengten sich andere Bilder darunter: Er sah die türkischen Soldaten, die ihnen, den Kurden, die Reise erträglich machten; er sah den Leutnant, der sich um seinen kranken Vater kümmerte; den Amtsvorsteher, der ihm den Paß schenkte . . . Und Kurdistan? Der Traum? Die Zukunft: das freie, autonome Kurdistan!

Kemal blieb hart. Sie mußten Schläge austeilen. Kein Türke durfte sich irgendwo sicher fühlen! . . . Gegen wen würden die Schläge morgen fallen? Türkische Einrichtungen? An die Botschaft kamen sie kaum heran; die war zu gut bewacht. Eine Bank? Eine Handelsniederlassung? Türkische Diplomaten? Ihre Autos? . . . Unausgeschlafen ging er zur Arbeit. Gegen Mittag meldete er sich ab: ihm sei nicht gut, er könne nicht mehr. Dann telefonierte er kurz mit Isabelle.

Er fand den Plastiksack unversehrt, nahm einen Teil des Sprengstoffs heraus und vergrub den Rest wieder. Im Bahnhof Olten traf er Mehmed. Die

Begrüßung war herzlich. Wieder ging diese eigenartige, begeisternde Kraft von diesem Mann aus, übertrug sich auf den jungen Kurden. Er hörte aufmerksam zu. «Wir arbeiten in zwei Gruppen. Zuerst fahren wir nach Egerkingen. Dort treffen wir die andern. Wir werden ihnen Sprengstoff übergeben; damit werden sie ihre Arbeit in Bern erledigen. Weitere Details sind für uns unwichtig. Wir fahren dann nach Zürich. Dort findet ein Kongreß statt von Vertretern türkischer Niederlassungen in Europa. Unser Verbindungsmann kennt ihre Autos. Das wird dann unsere Aufgabe sein. Du bringst mich noch in der Nacht zurück nach Basel. Am frühen Morgen wirst du wieder in Luzern sein.»

Kemal kaute an seiner Lippe. «Wie ist das . . . mit den Menschen? Ich meine, — könnte es Verletzte oder Tote geben, oder richten wir uns nur gegen türkischen Besitz?» «Im Grunde nur gegen den Besitz. Aber, wenn zufälligerweise ein Besitzer etwas mitabbekäme . . . Jeder Türke ist unser Feind!»

Kemal nickte. Mehmed schaute auf seine Uhr. «Es ist Zeit, komm!»

Kemal saß am Steuer. Sie schwiegen. Der Verkehr auf der Autobahn war stockend, es war heiß. Abwesend lenkte er den Wagen; seine Gedanken waren anderswo. In Egerkingen blickten sie sich auf dem Parkplatz um. «Ich sehe das Auto nirgends», sagte Mehmed, «ich gehe mal schnell im Restaurant nachschauen, ob die andern schon da sind.» Er verließ den Wagen. Kemal wartete. In seinem Kopf brauste es: Erinnerungsfetzen, Gedanken: der erschossene Bruder. — Jeder Türke ist unser Feind! — Der Amtsvorsteher. — Ein explodierendes Auto. — Und in der Detonationswolke tauchte plötzlich ein Gesicht auf, wurde deutlich, ein Kind: Rosi! Die kleine, blonde Rosi — mit blutigem, schmerzverzerrtem Gesicht. Er startete den Motor und fuhr los. Aus dem Restaurant lief ihm Mehmed entgegen. Kemal wich ihm aus, gab Gas und erreichte die Autobahn. Ihm war noch nicht klar, was er tun wollte; aber mit Sprengstoffattentaten wollte er nichts zu tun haben.

Er war auf die falsche Spur geraten, rollte Richtung Bern. Bei der nächsten Ausfahrt verließ er die Autobahn, auf einem Parkplatz hielt er an. Er brauchte Ruhe, um seine Lage genau zu überdenken. Eines stand für ihn fest: Er würde sich an keinem Terroranschlag beteiligen! Der Sprengstoff befand sich in seinem Besitz. Die andern würden ihn suchen. Sie verfügten über ein Auto, das er nicht kannte. Mehmed hatte ihn vielleicht Richtung Bern fahren sehen. Seine Lage war nicht sehr gemütlich. Sie konnten jeden Augenblick auftauchen. Andererseits konnten sie nicht wissen, ob und wo er die Autobahn verlassen würde. Eine Strecke weit würden sie ihn zu verfolgen versuchen. Dann würden sie umkehren, möglicherweise zu Rashid fahren . . .

Es hatte keinen Zweck, noch lange zu grübeln, er mußte weg von hier, mußte sich überlegen, wie er nach Luzern kam. Was sollte er mit dem

Sprengstoff tun? Der durfte seinen Kameraden auf keinen Fall in die Hände fallen. Halt! Es befand sich ja noch Dynamit am Waldrand! Sie würden es holen! Er mußte ihnen zuvorkommen. Kemal nahm die Autokarte, suchte einen möglichst direkten Weg nach Emmen und fuhr los.

Unterwegs wurden seine Gedanken ruhiger. Er dachte die Situation klar durch, versuchte, die nächsten Schritte genau zu planen. Es durfte ihm kein Fehler unterlaufen. Was würden die andern tun, wenn sie ihn auf der Autobahn nicht fanden? Sie würden Rashid aufsuchen, so rasch als möglich, ihn vielleicht schon von unterwegs aus telefonisch informieren. Rashid war hilflos, konnte das Haus nicht verlassen. Könnte er ihnen am Telefon die genaue Lage des Versteckes angeben? Wohl kaum! Aber, wenn sie ihn abholten, konnte er sie zum Versteck führen.

Er mußte vorher dort sein! Er beschleunigte die Fahrt, riskierte Geschwindigkeitsübertretungen. Was würde er tun, wenn sie ihn beim Versteck erwarteten?

Er erreichte die Gegend von Emmen, fand den Waldrand, näherte sich vorsichtig und sah weit und breit kein stehendes Auto. Er ergriff den Spaten, eilte zur großen Tanne und begann, ohne Rücksicht auf zwei Spaziergänger, die ihm verwundert nachgeschaut hatten, hastig zu graben. Das Loch strich er flüchtig zu, dann eilte er mit dem Plastiksack zum Wagen und raste davon. Nach einigen Kilometern hielt er erneut in einem Walde an. Anhand der

Karte versuchte er sich zu orientieren. Er glaubte zu wissen, wo ungefähr er sich befand. Unter einem Baum, den er wiedererkennen würde, vergrub er das Paket erneut. In langsamer Fahrt verließ er den Wald. Er prägte sich die Einzelheiten der Gegend ein und fand seine Annahme bald bestätigt. Er wußte nun genau, wo er war. Er würde das Versteck wiederfinden. Inzwischen war es dunkel geworden. Er fuhr den Wagen in die Nähe der Wohnung von Rashid, legte den Schlüssel ins Handschuhfach und marschierte zur Bushaltestelle.

Eine Ahnung trieb ihn, den Bus schon am Pilatusplatz zu verlassen und von dort aus zu Fuß zu gehen. Als er sich vorsichtig dem Steghof näherte, entdeckte er bei der Bushaltestelle vor dem Hotel im Schatten zwei Männer. Er verharrte unter einem Baum, wo ihn das Licht der Straßenbeleuchtung weniger erreichte und beobachtete die beiden. Sie standen regungslos dort; schienen den Eingang des Hotels im Auge zu halten. Plötzlich bemerkte er, daß sie ihn entdeckt haben mußten: Einer der Männer zeigte auf ihn, die zwei schienen sich zu beraten. Kemal wandte sich um und begann, unverdächtig langsam den Rückweg anzutreten. Über die Schulter schaute er nach hinten. Die Männer setzten sich ebenfalls in Bewegung. Er ging etwas rascher, bog in die Bleicherstraße ein und fiel in leichten Trab. Wenige Sekunden später sah er die beiden um die Ecke eilen. Nun war er sicher! Er rannte. Er hörte das schnelle Hämmern ihrer Absätze auf dem Asphalt. Er stellte fest, daß einer der Verfolger auf die linke Straßenseite hinüberwechselte und vernahm einen abgerissenen Satz: Kurdisch. Er rannte um sein Leben. Anscheinend war er schneller; der Abstand vergrößerte sich. Schließlich gelang es ihm, seine Jäger abzuschütteln. Schwer atmend blieb er in einem Hauseingang stehen, nachdem er sich vergewissert hatte, daß die hintere Türe in einen Innenhof mit verschiedenen Ausgängen führte.

Er überlegte, wie es nun weiterginge. Was wollten sie von ihm? Nur den Sprengstoff? — Oder wollten sie mehr? In ihren Augen war er ein Verräter. Eines war sicher: Ins Heim konnte er nicht zurückkehren. Wohin also? Er ruhte sich aus, bis sein Puls wieder normal schlug; dann wagte er sich vorsichtig aus seinem Versteck. Eine Viertelstunde später öffnete ihm Isabelle die Tür.

Er war nicht in der Lage zu sprechen. Sie fühlte es und drang nicht weiter in ihn. Er mochte auch nichts essen, obwohl er seit Mittag nichts mehr zu sich genommen hatte. Die Nacht verbrachte er bei ihr.

Am nächsten Morgen, nach einem schweigsamen Frühstück, entschloß er sich, ihr alles zu sagen. Es hatte ihm nicht an Vertrauen gefehlt; er wußte seit langem, daß er ihr voll vertrauen konnte. Aber er hatte davor zurückgescheut, sie zu belasten. Doch nun war er zum Schluß gekommen, daß Liebe auch hieß, den Partner die eigene Last mittragen zu lassen. Er erzählte ihr, was in den letzten Tagen geschehen war und verschwieg nichts. Als er verstummte, legte sie beide Hände auf seine Schultern, küßte ihn leicht auf den Mund, lehnte dann ihre Stirn an die seine und sagte: «Dir bleibt nicht viel erspart. Du bist schön in der Mühle!»

Isabelle war nicht der Typ, der lange Trübsal bläst. Sie schenkte Kaffee ein, lächelte und sagte: «Ein Vorteil ist: Du mußt nun vorläufig bei mir bleiben! Hier bist du in Sicherheit. Zur Arbeit solltest du in den nächsten Tagen auch nicht gehen, das ist zu gefährlich. Dann müssen wir uns fragen, wie's weitergeht. Was sagen wir denen im Steghof? Was passiert mit dem Sprengstoff? Meines Wissens sind Sprengstoffdelikte etwas für die Bundespolizei. Aber ist das ein Sprengstoffdelikt oder nur ein Diebstahl? Was meinst du, wollen wir Thomas einweihen? Drei Hirne denken mehr als zwei.» Kemal nickte, und Isabelle ging zum Telefon.

Zu dritt berieten sie weiter. Schließlich schlug Isabelle vor: «Wäre es nicht am besten, der gestohlene Sprengstoff ginge an den Eigentümer zurück? Dann wäre ein Teil des Unrechts gutgemacht — und wir hätten uns vor der Polizei ein bißchen weniger zu fürchten.» Kemal hatte auch schon an diese Lösung gedacht, aber noch keinen praktikablen Weg gefunden.

Thomas wandte sich an Kemal: «Ich hole den Wagen, hole dich hier ab, wir fahren zum Versteck, buddeln das Zeug aus und bringen es der Polizei; einverstanden?» Der Kurde bekam ein bißchen große Augen und Thomas fuhr fort: «Natürlich nicht direkt, aber doch heute noch! Per Post geht's am Sonntag nicht so gut.» Kemal war einverstanden, und nach einer guten halben Stunde hielt ihr Wagen auf dem Waldsträßchen an. Kein Mensch war auszumachen. Sie holten den Sprengstoff und fuhren zum Luzerner Bahnhof. Im Umkreis des Bahnhofs war Vorsicht geboten. Wie überall, war dies der Treffpunkt der Ausländer. Kemal blieb im Wagen. Er hatte sich in Thomas' Regenmantel gehüllt, den Kragen hochgeschlagen und drückte sich tief in den Sitz. Thomas, in seinem leichten Sommeranzug, sah nicht aus wie ein Asylant. Er schlenderte zu den Schließfächern, schloß den Sprengstoffsack ein, steckte den Schlüssel in seine Tasche und ging zurück zum Auto. Sie fuhren in ein Außenquartier, wischten den Schlüssel sorgfältig sauber und versenkten ihn in einem gelben Briefkasten, nachdem Thomas sich vergewissert hatte, daß dieser erst am späten Abend geleert werden würde. Dann ging Thomas in eine öffentliche Telefonkabine, stellte die Nummer der Polizei ein und sprach rasch mit verstellter Stimme: «Notieren Sie bitte: Im Bahnhofschließfach Nummer 117 liegt der im Forsthaus Rothenburg gestohlene Sprengstoff. Es fehlt nichts. Der Schlüssel liegt im Post-Briefkasten am Bundesplatz. Ende.»

«Würden Sie das bitte wiederholen?» forderte ihn der Beamte auf. Er schien Zeit gewinnen zu wollen. Thomas wiederholte: «Sprengstoff im Schließfach Nummer 117, eins, eins, sieben», und hängte auf. Er eilte aus der Kabine, sprang in den

Wagen, und sie fuhren zu Isabelle. Ein Teil der Sorgen war von ihnen genommen. Doch wie ging's weiter?

Kemal befand sich in großer Gefahr. Seine Kameraden suchten den Verräter. Mit der Leitung des Steghofs ließ sich die Sache in Ordnung bringen. Thomas konnte klarmachen, daß Kemal eine Zeitlang dem Heim fernblieb. Mit der Müllabfuhr würde es schwieriger sein. Einen Tag oder zwei krank, das nahmen sie ihm vielleicht ab. Aber eine Nachfrage im Heim war jederzeit möglich. Es blieb ja noch Zeit bis Montag früh!

In den Montagzeitungen stand der Bericht von der freiwilligen Rückgabe des gestohlenen Sprengstoffs. Die Polizei stünde vor einem Rätsel

Am Montag abend sagte Kemal: «Morgen reise ich zu Mehmed nach Basel. Ich will mit ihm reden. Isabelle erschrak: «Ist das klug?» Und sie wußte, daß Kemal entschlossen war. Sie könnte ihn nicht davon abbringen. In der Nacht versuchte sie es trotzdem: «Mußt du das wirklich?» «Ja.» Sie klammerte sich an ihn; sie hatte Angst.

Kemal beobachtete am späten Nachmittag das Haus, wo Mehmed Kaylyan wohnte. Zwei Minuten, nachdem er ihn hatte heimkehren sehen, läutete er an der Tür. Mehmed öffnete, schaute ihn groß an und hieß ihn schweigend eintreten. «Du hast Mut!» sagte er. «Ich bin Kurde», entgegnete Kemal.

«Und? Was hast du mir zu sagen?»

«Ich konnte nicht, und ich werde es nie können! Ich werde mich nie an einem Terroranschlag beteiligen. Das ist mir dort im Auto klargeworden. Es kam wie ein Blitz über mich. Ich weiß nicht, ob du das begreifen kannst.»

«Sie können es, sie terrorisieren uns, sie foltern uns!»

«Deswegen hassen wir sie; deswegen betrachten wir sie als Unmenschen. Sollen wir dasselbe tun? Sollen wir auch unmenschlich handeln?»

«Solange sie uns unterdrücken, darf sich kein Türke sicher fühlen. Tod allen Türken!»

«Da liegt der Fehler; das ist negativ. Man kann's auch positiv ausdrücken, statt Tod allen Türken: Leben allen Kurden!»

«Sie lassen uns nicht leben. Sie wollen nicht, sie sind unsere Feinde.»

«Wer sind sie?»

«Die Türken!»

«Das ist ein zweiter Fehler. Wer sind ‹die Türken›? Es stimmt: Die, die in der Türkei an der Macht sind, wollen uns nicht leben lassen; sie streben die Hegemonie an. Aber ich kenne auch andere Türken. Ich weiß von Kräften in unserem Land, die nichts gegen autonome Regionen haben.»

«Wir sind im Krieg. Wir müssen kämpfen. Sie oder wir! Wir können nicht zimperlich sein, nicht jedesmal vorsichtig abwägen. Wer stets zögert, bewirkt nichts.»

«Aber wir können einen Chauffeur, den wir nicht kennen, oder einen Diplomaten mit seinem Auto hochgehen lassen, auch wenn er vielleicht — wie mein Amtsvorsteher — insgeheim auf unserer Seite steht. Wir dürfen ja nicht abwägen! Wir müssen auch in Kauf nehmen, daß Unbeteiligte verletzt oder getötet werden, Unbeteiligte, die vielleicht gleich dachten wie wir. Ihr Pech, wenn sie zufällig in der Nähe standen!»

Mehmed schwieg eine Weile. Dann blickte er Kemal ruhig in die Augen und sagte: «Wir hätten dich getötet, wenn du uns am Samstagabend nicht entkommen wärest.» «Ich weiß.» «Du warst ein Abtrünniger, und wir mußten damit rechnen, daß du uns verraten würdest. Als ich dann am Montag las, daß du den Sprengstoff anonym zurückgegeben hast, sah das Bild etwas anders aus. Wir suchten dich immer noch. Wir wußten nicht, woran wir mit dir waren. Warst du nur ein Feigling? Ich sehe jetzt, daß es dir nicht an Mut fehlt. Wie stehst du zu uns?»

Kemal überlegte. Dann begann er: «Ich habe meinem Vater versprochen, für ein selbständiges Kurdistan zu kämpfen. Mein Vater sah das vielleicht noch etwas anders als ich. Er sah es seiner Zeit gemäß. Es gibt eine Entwicklung. Mein Vater hat sich in seinem Sohn weiterentwickelt; jetzt bin ich mein Vater. Unter einem freien Kurdistan verstehe ich nicht unbedingt ein Territorium. Ich werde dafür kämpfen, daß wir Kurden unser Leben leben können. Aber meine Art des Kampfes ist nicht die eurige. Ich werde nicht mit Sprengstoff, nicht mit Gewalt kämpfen.»

«Wie denn?»

«Es gibt das Gespräch. Es gibt die Publikation. Es gibt Einfluß auf die Politik.»

«Aber sie kämpfen mit Gewalt!»

«Was ist stärker, das Wort oder das Schwert?»

«Sie können dich töten.»

«Das ist das Risiko: Mich können sie töten; die Idee nicht.»

Wieder schwiegen sie. Schließlich sagte Mehmed: «Du bist ein Idealist. Vielleicht wird dich die Zukunft lehren, daß du ein machtloser Wurm bist, den sie zertreten, wenn sie wollen; daß sie sich aber vor kleinen Wespen, die einen Stachel haben, eher fürchten. Vielleicht hast du trotzdem recht, wer weiß? Geh jetzt. Und besuche mich wieder mal, wenn du magst. Wir kämpfen trotz allem den gleichen Kampf.»

Sie schieden als Freunde.

Kemals Vorgesetzter hatte herausgefunden, daß der Kurde nicht krank gewesen war, daß er einige Tage einfach blau gemacht hatte. Thomas mußte seine ganze Überredungskunst aufbieten, um schließlich doch zu erreichen, daß man ihn auf Zusehen hin behielt.

Das Leben des Flüchtlings ging seinen normalen Gang, was so viel hieß wie bescheidene Arbeit, bescheidener Lohn, bescheidene Unterkunft; aber er war in Sicherheit, und er lebte. Im Vergleich mit anderen Flüchtlingen ging es ihm eigentlich sehr gut: Er hatte Isabelle, er hatte einen Freund, er hatte Amma. Dank seiner Bildung, seiner Sprachkenntnisse hatte er Kontakte mit Leuten des Gastlandes. Er wußte all dies und war dankbar.

Sicherheit? Wo gab es schon Sicherheit? Er lebte jetzt! Den Gedanken an die Zukunft verdrängte er. Es gab andere Flüchtlinge, das wußte er, denen ging es bedeutend schlechter. Sie lebten isoliert, ohne die geringste Kenntnis ihrer Umgebung, einsam in der Fremde, heimwehgeplagt, zukunftslos, hoffnungslos. Sie glaubten, die Leute draußen, die Schweizer, seien alle reich, alle geizig, alle überheblich. Neid, Vorurteil, Unwissenheit machten ihnen das Leben schwer. Da sie aus unendlich fremden Kulturkreisen stammten, da sie über keine Informationen verfügten, entwickelten sie vollkommen falsche Vorstellungen über ihr Gastland — wie anderseits zu viele Schweizer aus Unkenntnis, aus genauso schiefer Sicht, die Flüchtlinge falsch beurteilten. Dann kam bei den Schweizern noch die Angst vor Arbeitslosigkeit und vor Überfremdung hinzu. Kemal kannte das Schlagwort: Das Boot ist voll. Wie voll war es? Welche Arbeit nahmen sie Schweizern weg? Wie stark wirkten die Flüchtlinge als Fremdkörper in der Kultur der Schweizer? Wirkten die Hunderttausende zahlender Touristen auch als Fremdkörper?

Die wenigsten Flüchtlinge wollten sich doch hier für immer niederlassen! Sie wichen aus, solange in der Heimat die Schwierigkeiten zu groß waren.

Auch er, Kemal, würde nicht in der Schweiz bleiben. Er sehnte sich nach seiner Heimat. Er würde einmal dorthin zurückkehren. Die Machtverhältnisse in der Türkei würden sich verändern. Die Menschenrechte würden auch dort einmal beachtet werden. Gerade die Europäer konnten in dieser Richtung auf sein Heimatland wirken. Er wußte, daß von der EG Anstrengungen in dieser Richtung unternommen wurden. Auch er selber wollte aktiv werden, wollte in einen weiteren Kreis ausstrahlen, wollte informieren. Das war sein Kampf um Kurdistan! Er nahm sich vor, nach Möglichkeiten zu suchen; Isabelle, Thomas und Amma würden ihm helfen.

In einem Büro des Amtes für Flüchtlingswesen redeten zwei höhere Beamte abschließend über ein Asylgesuch: Karbaly Kemal, Kurde, zur Zeit im Steghof, Luzern.

«Kurden werden verfolgt in der Türkei, sie sind wirklich gefährdet.»

«Ja, aber der da scheint, nach all unsern Informationen, doch nicht wirklich bedroht. Schauen Sie: In der Stadt, die er angibt — sie liegt im Westen — leben viele Kurden wie im ganzen dortigen Gebiet seit ihrer Umsiedlung, ungefährdet, integriert. Man läßt sie in Ruhe.»

«Er gibt an, er sei im Gefängnis gefoltert worden, weil Vater und Bruder im kurdischen Widerstand aktiv gewesen seien.»

«Von Sippenhaft haben wir gehört, das gibt's

scheint's. Aber sein Vater ist im städtischen Krankenhaus gepflegt worden und eines natürlichen Todes gestorben. Von Brüdern weiß man nichts. Unsere Botschaft hat entsprechende Auskünfte eingeholt. Dazu kommt, daß dem Mann ein gültiger Paß ausgestellt wurde — gemäß Auskunft handelt es sich nicht um eine Fälschung wie bei andern Flüchtlingen. Wen die Türken als Rebellen verdächtigen, den lassen sie nicht so ohne weiteres ausreisen.

Alles in allem: Der Mann ist nicht direkt gefährdet. Wenn er sich ruhig verhält, wird er in der Türkei leben können wie Tausende von Kurden auch. Im übrigen, wenn's ihm in der Stadt, aus der er kommt, nicht gefällt: Er hat ja eine Tante in Izmir — gemäß Auskunft der Botschaft seit Jahren dort, in recht guten Verhältnissen. Ich bin für Ablehnung des Gesuches.»

«Da steht noch etwas von einer Schlägerei in Luzern!»

«Stimmt; doch das ist unerheblich, das kommt bei Schweizern auch vor. Im übrigen steht im Polizeibericht, es sei eher unwahrscheinlich, daß der Mann die Schlägerei angezettelt habe. In dubio pro reo! Trotzdem: Ablehnung!» Er drückte den Stempel auf das Formular.

Das Feuerchen war niedergebrannt; über die verkohlten Äste huschten rote Lichtschlangen. Amma hatte sie zu einem Picknick eingeladen. Nun saßen sie zu viert auf der Bank am Waldrand und genossen den Abend. Groß und rot hing der Mond über der Rigi; rings um den See funkelten die Lichter, die Schneegipfel leuchteten weiß aus dem Sammet des Himmels, der von tausend blitzenden Löchern durchsiebt war. Amma schwärmte von Island; bald würde sie fliegen, im silbernen Vogel übers Meer und dann wandern durch die einsamen Weiten der Nordinsel, vorbei an Gletschern und glucksenden Geysiren.

«Du hättest Dichterin werden sollen», sagte Thomas lächelnd, «bei Vollmond gelingen dir immer die poetischsten Stabreime. Wann genau beginnen eigentlich deine Ferien?»

«Genau in drei Wochen fliege ich ab, und nach weiteren drei Wochen mußt du mich wieder ertragen. In der Zwischenzeit steht die Wohnung mit allen vier Zimmern voll zu deiner Verfügung, mein Schweizer Sohn!»

Sie saß zwischen den zwei jungen Männern, hatte ihre Arme beiden um die Schultern gelegt und wandte sich an Kemal: «Und du, mein kurdisches Söhnlein, wie steht es mit dem Artikel, den du über deine Heimat schreiben wolltest? Der Redaktor wartet.» «Ich arbeite daran. Isabelle läßt mir fast keine Zeit; aber in ein paar Tagen sollte er fertig sein.» Die junge Frau zupfte ihn am Haar und stichelte: «So ist das also! Und ich dachte immer, du störst mich bei meiner Diplomarbeit. Ich werde mich in Zukunft etwas zurückziehen.» «Tu das nicht», entgegnete Kemal, «Man kann über meine Heimat nur mit viel Liebe schreiben.» «Einverstanden, Kemal», sagte Amma, «über deine und meine Heimat kann man nur mit Liebe schreiben, gerade weil's so viele schmerzliche Punkte gibt. Ich hab's eigentlich schön: Ich habe zwei Heimatländer. Da picke ich mir aus jedem heraus, was mir gefällt.» «Und wie hältst du's mit der Religion?» fragte Kemal, «bist du Christin geworden oder Mohammedanerin geblieben?» «Das ist im Grunde meine Privatsache, Kemal; aber weil du nun einmal mein kurdisches Söhnlein bist, darfst du auch wissen, was deine Amma denkt. Ich bin Christin, aber ich habe mir auch hier aus beiden herausgepickt, was ich für richtig und wichtig halte. Beide Religionen verlangen: Liebe deinen Nächsten! Das versuche ich zu tun. Und dann rede ich oft mit Allah oder Gott, ganz direkt, und ich glaube, es ist ihm nicht wichtig, wie ich ihn nenne. Er versteht beide Sprachen. Das hat übrigens schon vor mehr als zweihundert Jahren ein großer Deutscher, Lessing, gesagt. Und über die Details können wir, wenn du magst, ein andermal gründlich reden. Jetzt habe ich nämlich Lust auf eine gute Tasse starken Kaffee, und den kriegen wir hier nicht. Kommt, ich lade euch ein.»

Die Ablehnung seines Asylgesuches traf Kemal wie ein Blitz aus heiterem Himmel. Er hatte den Gedanken an diese Möglichkeit so sehr verdrängt gehabt, daß er ihn vorerst nicht fassen konnte. Dann brach er zusammen. Das Weitere, was man ihm noch mitteilte; daß ihm eine Frist gesetzt wurde, binnen welcher er die Schweiz zu verlassen hätte, nahm er kaum noch auf.

Er schlich in sein Zimmer, legte sich aufs Bett und blieb liegen. Das Abendessen ließ er aus. Am folgenden Tage ging er nicht zur Arbeit, lungerte in der Stadt umher, hockte stumpfsinnig irgendwo auf einer Bank. Er konnte es nicht fassen! In der Nacht begann er, sich die Zukunft vorzustellen. In ein anderes Land? Welches würde ihn aufnehmen? Er hatte von entsprechenden Versuchen anderer Flüchtlinge gehört: Es war aussichtslos.

Zurück in die Türkei? Sie würden ihn erwarten. Er war ein kurdischer Intellektueller aus einer Rebellenfamilie. Er stand auf einer schwarzen Liste.

Plötzlich war alles wieder da, was er vergessen zu haben glaubte: das Dorf im Schutt — die Wut, der Schmerz, die Angst, das Grauen. Schweißgebadet, mit Herzschmerzen, wachte er auf. Er blieb liegen; er war krank.

Gegen zehn Uhr holte ihn Isabelle aus seinem Zimmer. Sie hatte ihn am Vorabend vermißt, ins Heim telefoniert, erfahren: ihm sei nicht gut gewesen, er habe sich in sein Zimmer verzogen. Man hatte ihr von der Ablehnung des Gesuches berichtet.

Sie schleppte ihn zu sich. Er hatte keinen Mut mehr; es war aus.

Sie mobilisierte Thomas und seine Mutter. Zusammen saßen sie beim Abendessen in Isabelles Zimmer.

«Fang dich auf, Kemal! Es ist noch nichts entschieden. Wir werden kämpfen. Ich habe Verbindungen. Sie dürfen dich nicht ausweisen. Sie haben deinen Fall nicht genau genug untersucht. Fasse Mut!»

Kemal blieb bei Isabelle. In den nächsten Tagen liefen Frau Walther und Isabelle den Ämtern die Türen ein. Sie sprachen mit Beamten, versuchten sie zu überzeugen, man müsse den Fall wieder aufnehmen; sie telefonierten weiß Gott mit wem; sie schrieben. Schon bald zeigte es sich: Alles war nutzlos; der Fall war abgeschlossen; der Flüchtling Kemal Karbaly hatte die Schweiz zu verlassen.

Abends redeten Isabelle und Thomas von der Möglichkeit, Kemal irgendwo zu verstecken. «Wir handelten gegen das Gesetz, wir machten uns strafbar.» «Das stimmt. Und ich täte es nicht leichtfertig: Demokratie lebt vom Einhalten der gemeinsam akzeptierten Gesetze. Aber, wenn infolge von Fehlurteilen irgendwelcher Beamter ein Mensch in Gefahr gerät, stelle ich grundlegende Menschenrechte über den Entscheid staatlicher Funktionäre.»

Ein strahlender Mittsommertag. Kemal erwachte. Er war allein, Isabelle irgendwo unterwegs. Er trat ans Fenster, ließ sich von der Sonne wärmen. Sein Blick ging zu den weißen Gipfeln. Sein Mut wuchs.

Sie wollten ihn verstecken? Das war unnötig. Das war zuviel. Isabelle und Thomas hatten ihm unendlich viel gegeben, ihm geholfen. Sie hatten für ihn einiges riskiert. Es war genug. Er durfte sie nicht noch mehr belasten. Wenn sie ihn versteckten, machten sie sich strafbar. Er war stark genug, allein durchzukommen. Er würde untertauchen; sie würden ihn nicht finden. Er war erfahren. Seinen Kampf konnte er nur als freier Mensch weiterführen. Er würde frei bleiben.

Rasch kleidete er sich an. Sein Eigentum hatte er aus dem Steghof mitgenommen; sein Erspartes, es war wenig genug, trug er immer auf sich. Er hinterließ einen Zettel: «Sucht mich nicht, ich werde es allein schaffen. Danke! Ich liebe dich, Isabelle! Kemal», und verschwand.

Der Zug brachte ihn nach Zürich. In der großen Stadt würde er unauffindbar bleiben und am ehesten Arbeit finden. Sein Umherstreichen im Bahnhof brachte ihm am ersten Tage noch keinen Erfolg. Die Nacht war warm, er übernachtete in einem leeren Boot, das auf den Wellen schaukelte.

Am nächsten Tage hielt er im Bahnhof wieder Ausschau nach vertrauenswürdigen Gesichtern. Da bemerkte er etwas weiter vorn zwei Polizisten, die unauffällig die Menschen beobachteten, da und dort eine Ausweiskontrolle vornahmen. Ebenso unauffällig verzog er sich. Von da an mied er den Bahnhof.

Hinter dem Bahnhof, im Westteil der Stadt, traf er die Männer, die er suchte. Zuerst erhielt er allerdings Angebote, die ihm nicht zusagten, von Hehlerei bis zu Heroinhandel lag alles drin.

Schließlich fand er aber doch ehrliche Schwarzarbeit. Für ein kleines Baugeschäft schleppte er Steine oder Zement, half Gerüststangen umhertragen oder aufstellen, schuftete den lieben langen Tag. Er erhielt einen genügenden Stundenlohn. Daß kein Krankengeld, kein Feriengeld, kein AHV-Beitrag eingerechnet war, wußte er nicht, oder wollte er nicht wissen. Er konnte leben. Drei Nächte lang schlief er in einer schäbigen Pension. Als man dann doch seinen Paß sehen wollte, zog er aus. Er bekam einen Tip und fand unter einer Autobahnbrücke einen alten Wohnwagen, der nicht ganz verschlossen war. Wenn er erst spät abends hineinschlüpfte und morgens beizeiten wieder herauskroch, dann war das Risiko nicht allzu groß.

Eine Zeitlang ging alles gut. Er erschrak heftig, als einmal auf der Straße ein junger Mann vor ihm stehenblieb, stutzte, und dann ausrief: «Hey, Tommi! Seh ich dich wieder mal!» Verwirrt stotterte er: «Nix Tommi, nix deutsch!» und eilte davon. Bald erholte er sich von seinem Schrecken. Er dachte an Isabelle, an Thomas, an Amma. Sollte er anrufen? Er konnte nicht widerstehen, telefonierte und sagte, daß es ihm gutgehe. Er verriet nicht, wo er war und hängte bald ein. Dann irrte er ziellos in den Straßen umher, starrte Löcher in den Asphalt und versuchte, seiner Trauer Herr zu werden.

Er war nun schon zwei Wochen in der großen Stadt. Aus seinem Wohnwagen war er allerdings vertrieben worden. Er hatte laufen müssen, und der

Mann hatte ihm Flüche nachgesandt. Den kleinen Hund, der ihm nachgehetzt worden war, verscheuchte er mit einem Fußtritt.

Ein ausrangiertes Auto tat's vorläufig auch. Die Nächte waren nicht kalt. Was würde er im Winter tun? Man mußte vorausschauen. Würde sich nicht doch ein Zimmerchen finden lassen? Es durfte auch etwas außerhalb der Stadt liegen. Ein Fahrrad wäre bestimmt aufzutreiben. Er lebte!

Isabelle und Thomas suchten ihren Freund verzweifelt. Woher hatte er telefoniert? Sie hatten Verkehrslärm im Hintergrund vernommen: eine Telefonkabine in einer Stadt!

Sie begleiteten Amma zum Bahnhof, ihre Ferien hatten begonnen. Im silbernen Vogel überm Meer saß sie dann mit schwerem Herzen. Wo mochte ihr kurdisches Söhnlein sein? Er hatte telefoniert, es ginge ihm gut . . . Ging's ihm gut?

Auf dem Heimweg trafen Isabelle und Thomas einen Bekannten: «Hey, Tommi, dich hätte ich letzthin fast in der Langstraße angetroffen. Aber es war ein Doppelgänger: ‹Nix Tommi, nix deutsch›, ein Türke oder so was. Ich konnte es fast nicht glauben.» Die beiden blickten sich an. «Wo? Wann?» «Bei uns! In der Langstraße! Mag so drei, vier Tage her sein.»

Bei der Polizei kam Kemal auf die Fahndungsliste. «Gesucht wird Karbaly Kemal, türkischer Staatsangehöriger, . . .»

Isabelle und Thomas durchkämmten die Straßen des Industriequartiers. Es war schon der dritte Tag, daß sie ihre Nachmittage in Zürich verbrachten. Und plötzlich standen sie ihm gegenüber, zehn Sekunden lang, starre Steinbilder. Dann hielten Isabelle und Kemal sich umschlungen. Wieder fühlte Kemal den Panzer zerbröckeln, in dem er gefangen gewesen war.

Es war selbstverständlich, daß er mit ihnen ging. Er holte seine Sachen unter dem Autowrack hervor, und sie fuhren zurück nach Luzern. Dem Baugeschäft würde er morgen telefonieren. Thomas hielt unmittelbar vor der Haustüre kurz an, Isabelle und Kemal huschten in ihr Zimmer.

Später gesellte sich Thomas kurz zu ihnen. «Es ist nicht ratsam, dich hierzubehalten. Freundlichen Nachbarn bist du gewiß schon früher aufgefallen. Die Polizei sucht dich. Ich werde euch morgen zu Isabelles Waldhäuschen fahren. Alles Weitere dann. Und jetzt: gute Nacht!» und draußen war er.

Isabelle und Kemal waren allein.

Das Frühstück hatten alle drei gemeinsam bei Isabelle eingenommen; einige Lebensmittel, Wäsche und sonst Nützliches hatten sie eingepackt. Nun saßen sie in Ammas Wagen und fuhren aus der Stadt, Richtung Bern. Im Entlebuch besaßen Isabelles Eltern ein Miniaturferienhaus, weit abgelegen, wo Fuchs und Hase einander Gutenacht sagen. Das war ihr Ziel. Der Wagen kurvte das enge Sträßlein empor, holperte einen halben Kilometer dem Waldrand entlang und hielt vor einem weiß-braunen Holzhäuschen an. Isabelle besaß einen Schlüssel. Ihre Eltern besuchten das Häuschen nur noch selten, kaum einmal im Jahr. Sie würde sie gelegentlich ins Bild setzen.

Das Häuschen umfaßte zwei Zimmerchen. Vom hinteren Raum aus führte eine kurze, steile Leiter zu einer verschließbaren Luke, durch die man auf den Dachboden gelangte, auf welchem ein kleines Matratzenlager eingerichtet war. Isabelle hatte sich als Kind in dem fast fensterlosen, dunklen Raum immer ein bißchen gefürchtet. Sie setzten sich auf die gemütliche Eckbank und besprachen, wie es weitergehen sollte.

Isabelles Verhältnis zu dem Bauern, auf dessen Land das Häuschen lag, war sehr herzlich. Sie würde mit ihm ziemlich offen reden können. Er fühlte sich als ein kleiner König auf seiner Bergliegenschaft und betrachtete Behörden und Gesetze als notwendiges Übel.

So ließ sie die beiden Männer allein und ging die paar hundert Meter durch den Wald zum Wohnhause ihres Bauern. Sie traf ihn im Haus und führte eine lange, freundschaftliche Unterredung mit ihm. Der König konnte eine Kraft in Hof und Haus gebrauchen. Nach allem weiteren fragte er nicht lange. Zufrieden kehrte Isabelle zu ihren Freunden zurück. Kemal würde fürs nächste hier bleiben und könnte im Betrieb ein wenig helfen.

Den Vormittag verbrachten sie gemeinsam, schlenderten in der Gegend umher, plauderten. Es war eine ruhige Voralpenlandschaft. Außer dem einen Fahrsträßchen führten keine Wege hindurch, Menschen trafen sie keine. Vor dem Häuschen dehnte sich die Wiese. Von dort aus öffnete sich ein weiter Blick auf kalkgraue Voralpenketten. Hinter dem Häuschen lag der Wald, ruhig, gründunkel, von Insektengesumm durchweht. Es war friedlich hier, und der Friede beruhigte den Heimatlosen.

Im Laufe des Nachmittags wanderten Kemal und Isabelle durch den Wald. Sie stellte ihren Freund dem Bauern vor; der nickte kurz und zeigte dem Kurden ohne viel Worte die Arbeit. Die Zeit des Abschieds war gekommen. Isabelle war fest davon überzeugt, daß es noch Möglichkeiten gab. Ein Rekurs an die obersten Stellen mußte eingereicht werden. Es galt jetzt, Zeit zu gewinnen, und hier in dieser Einsamkeit würde niemand nach einem Flüchtling suchen. Kemal fühlte sich nicht mehr beunruhigt. Ein eigenartiges Gefühl der Sicherheit, der Gelassenheit war in ihm aufgekeimt. Ihm konnte nichts mehr passieren. Leise nahmen sie Abschied voneinander, er winkte ihr lächelnd nach, bis sie hinter den Bäumen verschwunden war, dann ging er an seine Arbeit.

Thomas und Isabelle fuhren nach Hause. Sie hatten ein gutes Gefühl. Für ihren Freund war vorläufig gesorgt. Sie erwogen die Schritte, die sie für ihn zu unternehmen gedachten. Mutter, mit ihren Verbindungen, konnte vielleicht weiterhelfen. Nach einem gemeinsamen Abendimbiß bei Thomas verabschiedete sich Isabelle: «Genieße sie, deine sturmfreie Wohnung!» «Danke! Vorläufig gibt's nichts zu genießen. Ich habe genug Arbeit auf dem Schreibtisch. Aber das kommt noch. Ich nehme an, ich werde bald irgendwo in meinen eigenen vier Wänden wohnen. Es wird sich doch auch für einen Sprachlehrer eine Stelle finden!»

«Jetzt ist sie wieder allein», sagte der Mann und setzte seinen Feldstecher ab. Er war ein strammer Fünfziger mit einem schmal gestutzten, schwarzgefärbten Schnurrbärtchen. Seine Frau stand hinter ihm im dunklen Zimmer: «Ist der Türk nicht bei ihr?»

«Scheint's nicht», brummte er und hob das Glas wieder an die Augen. Er beobachtete zwischen zwei Häusern hindurch Isabelles hell erleuchtetes Zimmer und wartete darauf, daß die junge Frau sich entkleidete. Seine Zunge beleckte die Lippen. Aber Isabelle zog den Vorhang, und der Mann wandte sich enttäuscht seiner Frau zu.

«Die haben's schön, die heutigen Jungen, die treiben's schamlos», giftelte sie. «Wir hätten uns damals so etwas nicht getraut. Wir wußten noch, was Anstand ist! Einfach so mit einem hergelaufenen Türk! Sieht man ihm doch an! Übrigens merkwürdig: Vor ein paar Wochen war der doch häufig da. Die konnten ja nicht genug bekommen. Und dann ist er plötzlich weg, und dann auf einmal wieder da, aber nur eine Nacht! Gestern vormittag hab ich gesehen, wie sie sackweise Zeug mitgenommen hat, und einer in einem grauen Auto hat die beiden abgeholt. Und dann kommt die allein nach Hause!»

Während der Mann am Fenster stand und doch noch hoffte, setzte sich die Frau auf die Bettkante und grübelte. «Die haben den doch irgendwohin gebracht . . .» Das Leben der Mitmenschen interessierte die Frau immer brennend. Es entging ihr nichts: In diesem Stadtteil wußte sie über alles Bescheid, hatte ihren Kreis, in welchem der Quartierklatsch gepflegt wurde. «Ich bin sicher, die Borners haben keine Ahnung, was ihr Fräulein Tochter hier so treibt. Sind selber schuld, wenn die schief herauskommt. Ist ja auch verrückt: Da haben die eine große Wohnung im Säliquartier, aber das Fräulein Tochter braucht ein eigenes Zimmer auswärts. Verständlich, bei dem Lebenswandel!»

Plötzlich hatte sie einen Einfall: «Du, der Türk! Könnte das nicht der Asylant sein, von dem wir gelesen haben? Da ist doch einem sein Gesuch abgelehnt worden, hier, in Luzern, und dann ist der verschwunden, untergetaucht, wie das ja so Mode wird in der letzten Zeit. Wir weisen einen aus, weil wir zu wenig Platz haben, und überhaupt, die Schmarotzer sollen doch zu Hause etwas arbeiten! Wir müssen auch krampfen! Aber nein, dann kommen die vom Heks oder von der Caritas oder so ein Pfarrer und verstecken sie! Und wir dürfen sie dann ernähren! Und zuletzt fahren sie in einem dicken Auto umher und verkaufen unsern Kindern Heroin. Wo bleibt da das Recht, wenn jeder macht, was er will?»

Der Mann unterbrach das Gequassel; er griff den eigentlichen Gedanken auf: «Du meinst, das könnte der gesuchte Asylant sein und sie hätten ihn irgendwohin gebracht?» Sie spann den Faden auch gleich weiter: «Du, die Borners haben doch ein Ferienhaus irgendwo im Entlebuch! Die Marta hat mir das gesagt; die hat sie bei einem Spaziergang dort oben einmal getroffen; die weiß, wo das ist. Ich müßte mal der Marta telefonieren. Vielleicht sollte man der Polizei einen Tip geben.

In der Sendung XY sind die doch auch immer froh um sachdienliche Mitteilungen.»

Der diensthabende Beamte nahm die Meldung entgegen. Die Frau war ihm zwar höchst unsympathisch mit ihrem weitläufigen Getratsche und ihrer Wichtigtuerei; aber schließlich kam es nicht auf seine Sympathien an; vielleicht war etwas an der Sache. Der Kollege von der Fahndungsabteilung würde ihm wahrscheinlich dankbar sein; sie waren dort oft angewiesen, leider auch auf solche Mithilfe; unscheinbare Nebensächlichkeiten hatten schon zu heißen Spuren geführt. Er war froh, als die Frau wieder draußen war.

Das Netz um den untergetauchten Kurden begann sich zusammenzuziehen, ohne daß er etwas ahnte.

Isabelle und Thomas waren unterwegs ins Entlebuch. In der vergangenen Nacht hatte ein Föhnsturm gewütet. Wie mochte Kemal ihn erlebt haben? Am Waldrand, in der Nähe des Bergsträßchens, sahen sie einige entwurzelte Tannen kreuz und quer liegen. Das Häuschen stand unversehrt; sie fanden es verschlossen. Isabelle öffnete mit dem zweiten Schlüssel, und während Thomas ein hübsches Abendessen vorbereitete, fuhr sie mit dem Wagen durch den Wald zum Bauernhof. Sie plauderte ein bißchen mit den Bauersleuten. Dann holte sie Kemal aus dem Stall — er war fertig mit Misten — und sie schlenderten zum Häuschen zurück. Den Wagen ließen sie beim Bauernhaus stehen; Isabelle würde ja Kemal morgen ohnehin wieder zum Bauern begleiten. Gemeinsam dekorierten sie den Tisch, zündeten ein paar Kerzen an, und dann genossen sie in fröhlicher Stimmung ein kleines, festliches Mahl. Thomas zeigte die Ansichtskarte, die er von Amma erhalten hatte. Sie war gut in Reykjavík gelandet und hoffte, sie hätten etwas von «ihrem kurdischen Söhnlein» gehört. In Gedanken wünschten sie ihr eine erlebnisreiche Geysir- und Gletscherwanderung. Nach einem Nachtspaziergang unter flimmernden Sternen kehrten sie in ihr Refugium zurück. Zu dritt verbrachten sie die Nacht darin.

Es war recht früh, die Sonne stand noch nicht hoch über dem Pilatus. Thomas stand am Herd. Er hatte das Frühstück übernommen. Kemal kletterte die Leiter herunter und wusch sich am Spültrog ein bißchen die Augen aus. Isabelle schlief noch etwas aus.

«Ich gehe auf einen kurzen Waldlauf», sagte Kemal, «Ist das Frühstück bald fertig?» «Zehn Minuten!» «Gut. Bin bald zurück!»

Er lief durch den Wald, hüpfte über Baumstämme, schüttelte die Füße aus. Als er zum Sträßchen kam, wunderte er sich etwas, daß dort, mitten im Wald, zwei Autos parkiert waren; aber er kümmerte sich nicht weiter darum. Er schlug einen Bogen und kehrte dem Waldrand entlang gegen das Häuschen zurück. Er befand sich ungefähr dreißig Schritt vom Häuschen entfernt, als hinter einem Baum hervor zwei Männer in Uniform ihm in den Weg traten. Polizei! «Halt! Sind Sie Kemal Karbaly?» Sie standen dicht vor ihm. Er hörte hinter sich etwas knacken und wandte den Kopf: Hinter ihm standen ebenfalls zwei Polizisten. Und weiter vorn, zwanzig Meter hinter dem Häuschen entdeckte er drei weitere Uniformierte, die aus dem Walde traten und sich in der Wiese verteilten. «Jetzt haben sie mich», dachte er, und er wunderte sich, wie kühl er das registrierte. Er nickte ruhig: «Ja, ich bin Kemal Karbaly, Kurde und ausgewiesener Asylant.» Eine Flut von Bildern stürmten durch seinen Kopf: der Vater, der erschossene Bruder, die Gefängnisschergen, Rosi, Mehmed, lauter Blitzlichter. Und bei alledem blieb er gelassen. Er wußte genau: Jetzt schaffen sie mich aus! Und es erschütterte ihn nicht, es ängstigte ihn nicht. Was konnten sie ihm anhaben, dort, in seiner Heimat? Nichts! Sie konnten ihn schlagen; sie konnten ihn verfaulen lassen; sie konnten ihn töten! Was tat's! Er war stärker als sie. Er lebte in andern Menschen weiter; die Idee konnten sie nicht umbringen: Die Zeit würde kommen, unaufhaltsam kommen, da in seiner Heimat, in der Türkei Kurden und Türken und alle andern Volksgruppen friedlich zusammenlebten. *Das* war sein Kurdistan! Dafür hatte er gekämpft!

Er hielt ihnen die Hände entgegen, für die Handschellen. Doch dann zog er sie zögernd zurück und sagte lächelnd: «Erlauben Sie mir, bitte, daß ich meine Sachen aus der Hütte hole? Es wird nicht lange dauern.» Er hoffte, sie würden ihn allein gehenlassen; sie würden Isabelle und Thomas nicht entdecken, nicht behelligen. Der Polizeiwachtmeister war auf Widerstand oder Flucht vorbereitet gewesen. Die Gelassenheit, die bescheidene Selbstsicherheit des jungen Kurden entwaffnete ihn. Irgendwie tat ihm der junge Mann leid. «Gehen Sie, wir warten», sagte er und nickte seinen Männern zu.

Kemal trat in die Hütte. Im hinteren Raume traf er Thomas. Mit ruhiger Stimme sagte er: «Sie sind da. Polizei. Sie haben mich. Es ist gut so. Sie werden mich heimschaffen. Auch das ist gut so. Ihr habt getan, was ihr konntet. Mehr könnt ihr, sollt ihr nicht tun! Ich danke dir. Ich danke auch Amma, sie ist eine großartige Frau. Ich gehe jetzt noch zu Isabelle. Es wird nicht lange dauern. Bleib still hier in der Küche! Die Polizei glaubt, ich sei allein. Ich will nicht, daß ihr hineingezogen werdet. Halte dich ruhig!» Er wandte sich zur Leiter, schlüpfte aus seinen Schuhen und verschwand durch die Luke.

Thomas stand wie gelähmt da. War das ein Alptraum? Nein, es war Wirklichkeit; grausame, harte Wirklichkeit! Jemand hatte Kemal denunziert! Sonst hätte die Polizei ihn nie gefunden. Wut stieg in ihm hoch, und Scham. Was sollte er tun? Konnten sie noch etwas tun?

Und plötzlich hatte Thomas einen wahnwitzigen Einfall. Dort am Stuhl hing Kemals Jacke. Er schlüpfte hinein. Kemals Brieftasche mit dem türkischen Paß fand sich in der Innentasche. Kemal würde den Schweizerpaß in Thomas' Jacke entdecken. Hastig riß er einen Zettel aus dem Notizbuch und kritzelte mit fliegender Hand darauf: «Kemal, du bist von jetzt an Thomas Walther. Spiele die Rolle gut! Es ist wichtig, daß du frei bleibst. Ich gehe an deiner Statt mit den Polizisten und fliege nach Istanbul. In der Türkei werde ich die Beamten schnell davon überzeugt haben, daß ich Schweizer bin. Meine Identitätskarte habe ich bei mir. Auf bald! Thomas.» Er legte den Zettel auf den Tisch, ging dann leise zur Luke, zog die schwere Tür sorgfältig zu und schob lautlos den Riegel vor.

Dann nahm er seine Brille ab, legte sie auf das Notizblatt und verließ das Haus. Er drückte die Türe geräuschlos ins Schloß und ging auf die wartenden Beamten zu. Wortlos hielt er ihnen die Hände hin. Der Wachtmeister blickte ihn kurz an. Dann senkte er den Blick und sagte leise: «Kommen Sie!»

Inmitten der Gruppe von Polizeimännern marschierte Thomas durch den Wald, zu den wartenden Autos. Zwischen zwei Uniformierten nahm er im vorderen Wagen Platz. Unterwegs erstattete der Wachtmeister per Funk Bericht vom Erfolg der Aktion. In Luzern wurde Thomas der Fremdenpolizei übergeben. Der Wachtmeister wünschte ihm mit belegter Stimme alles Gute und verabschiedete sich. Thomas' Personalangaben und sein Paß wurden überprüft, er wurde als Kemal Karbaly, türkischer Staatsangehöriger, identifiziert und man beeilte sich, ihn in ein Auto zu bringen. Mit etwas Glück konnten sie die Maschine nach Istanbul in Kloten noch erreichen. Handschellen schnappten zu, und Thomas wurde aus seiner Stadt transportiert. Es war ein eigenartiges Gefühl, mit dem Stigma des Verbrechers an den Handgelenken durch die bekannten Straßen zu fahren. Er entdeckte nur einen einzigen Bekannten und fragte sich schmunzelnd, was dieser wohl denken würde, wenn er ihn sähe. Eine richtiggehende Abenteuerstimmung hatte ihn erfaßt. Der begleitende Polizeimann wurde nicht klug aus dem Mienenspiel dieses Türken. «Es sind halt doch Asiaten», dachte er, «die fühlen anders als wir Schweizer.»

Die Formalitäten in Kloten waren rasch erledigt. Es war gemeldet worden, daß noch einer gebracht würde. Man führte Thomas in eine der mächtigen Maschinen. Er dachte an seine Mutter: Es war noch nicht lange her, flog sie in ihrem silbernen Vogel von hier aus übers Meer . . . Eine leise Wehmut senkte sich auf sein Gemüt.

Er fühlte den Druck der Beschleunigung im Magen und nahm sich vor, den Flug zu genießen. Er war noch nie nach Istanbul geflogen.

Von den Alpen sah er nicht viel. Man hatte ihn nicht an ein Fenster gesetzt. Mit der Zeit konzentrierten sich seine Gedanken auf Isabelle und Kemal. Was würden sie tun? Es wäre nicht leicht, aus dem Dachboden zu entkommen; die Wände und der Boden bestanden aus starken Bohlen. Wenn sie sich nicht selber befreien konnten, würde gegen Abend gewiß der Bauer seinen Jungen oder jemand anderen schicken, um nach Kemal oder Isabelle zu schauen. Der Wagen stand ja immer noch beim Bauernhaus. Auf alle Fälle waren sie anscheinend lange genug gefangen gewesen, um ihm nicht in seinen Plan zu funken. Kemal wäre imstande gewesen, zur Polizei zu rennen und alles zu verderben. Kemal war ein feiner Kerl; er war ihm richtig ans Herz gewachsen. Sie hatten dieselbe Wellenlänge. Es mußte doch möglich sein, solch einen Menschen in der Schweiz zu behalten. Überhaupt: die überängstlichen, engen Schweizerherzen! Isabelle war da anders: von eng keine Spur. Weltoffener, kameradschaftlicher konnte kaum jemand sein. So sollten alle sein! Die zwei paßten zueinander. Mochten sie glücklich werden miteinander! Er wünschte es ihnen — vielleicht gerade jetzt, in ihrer dunklen Mausefalle! Er mußte lächeln.

Sie flogen über Jugoslawien. Wie lange würde der Flug noch dauern? Er kaute an einem Brötchen und trank seinen Tee. Er begann, sich Istanbul vorzustellen. Würden sie vom Schwarzen Meer oder vom Marmarameer her anfliegen? Der Sinkflug, der Tower, die Landepiste. Dann die Gangway — Paßkontrolle . . . Und dann? Vielleicht stünde er plötzlich mitten in der Stadt — ohne Geld, mit türkischem Paß! Was würde er dann tun? Schweizerbotschaft? Wäre wohl das Klügste. Oder doch nicht, mit einem Türkenpaß?

Und wenn sie ihn bei der Paßkontrolle verhafteten? Kemal hatte das ja befürchtet. Was dann? Das war das Risiko, von dem sie geredet hatten. Wer die Welt verändern will, muß etwas riskieren! Und Risiko konnte zum Guten oder zum Schlimmen führen. Er hatte das Risiko trotz allem nicht unbewußt auf sich genommen; das wurde ihm jetzt deutlich. Er hatte von Anfang an gewußt, daß er etwas riskierte. Die Sache war es wert! Er würde es durchstehen. Wenn sie ihn verhafteten; würden seine Türkischkenntnisse genügen? Von Amma hatte er etwas Türkisch gelernt. Konnte er ausreichend Türkisch, um sich zu erklären? Oder würde er die Identitätskarte zücken und deutlich sagen «Mini Herre, ech be Schwiizer!»

Er wurde nachdenklich. Und wenn's zum Schlimmsten käme, dann würde er auch das ertragen! Er war nicht blind in etwas hineingelaufen. Er hatte gewußt, was er tat; er hatte gewußt, wozu er es tat.

Eine halbe Stunde später war es so weit: Sinkflug, der Tower, die Landepiste, die Gangway. Bei der

Paßkontrolle verschwand sein Paß. Man ließ ihn ziemlich lange warten. Dann traten zwei Beamte in Zivil auf ihn zu und sagten auf türkisch: «Mitkommen!»

Kemal und Isabelle lagen im Halbdunkeln. Sie weinte. Er tröstete sie: «Es ist richtig so. Es mußte ein Ende nehmen. Du mußt stark sein. Ich werde es auch versuchen.» Sie ließ sich nicht beruhigen. Er strich ihr über die Stirn und wandte sich ab. Die Luke war geschlossen!

Er legte den Daumen in die kleine Kerbe und versuchte, die Tür aufzustoßen. Aber das schwere Brett ließ sich keinen Millimeter verschieben. Er rief Isabelle. Mit vereinten Kräften erreichten sie nicht mehr; sie fanden keinen Ansatzpunkt.

Kemal brüllte: «Thomas, mach keinen Blödsinn, laß mich hinaus!»

Keine Antwort! Nach ein paar Minuten wurde ihnen klar, daß Thomas sie eingesperrt hatte. War er an Kemals Stelle mit den Polizisten gegangen? Oder trieb er ein dummes Spiel, meinte, er könne die Polizei ablenken, sie würden Kemal nicht finden?

«Laß mich raus, du Idiot!» Kemal hämmerte auf die Schiebetür. Nach einer halben Stunde waren sie sicher: Thomas hatte sich als Kemal abführen lassen. Der Kurde konnte es nicht fassen.

«Der Idiot!» schrie er, «der weiß nicht, was er tut! Die schnappen ihn, bevor er einen Meter auf türkischem Boden zurückgelegt hat!» Er schüttelte den Kopf, die Tränen rannen ihm über die Wangen, er schüttelte nur immer wieder den Kopf und stammelte: «Der hat noch nie einen türkischen Schergen erlebt, der Dummkopf, der Wahnsinnige!»

Es war Isabelle, die zuerst wieder klar dachte.

«Wir müssen schnellstens hier raus. Laß uns suchen, wie oder wo.»

Die schrägen Wände und der Boden unter den Matratzen bestanden aus soliden, dicht gefügten Brettern. Die Schiebetüre, das wußte Isabelle, lief in massiven Eisenschienen, die auf Balken geschraubt waren. In der Stirnwand, gegen den Wald hin, ließ ein schweres Eisengitter drei schmale Schlitze offen; man konnte keine Kinderhand hindurchstrecken, sie hatte es oft versucht.

Sie probierten es zuerst nochmals bei der Schiebetür. Ihre Hände fanden keinen Halt. Kemal schlug mit Fäusten, Fersen und Ellenbogen auf die Planken, umsonst. Sie suchten nach Werkzeug oder harten Gegenständen. Die Schuhe waren seit jeher unten an der Leiter geblieben. Ein Kunststoff-Nachttöpfchen aus Kinderzeiten und Isabelles Thermosflasche, in der sie jeweilen für die Nacht Tee neben ihrer Schlafstelle bereithielt; das war alles. Nutzlos! Kemal hielt den Mund an die Luftschlitze und rief um Hilfe, minutenlang. Der Wald verschluckte die Rufe. Erschöpft hielten sie inne. Kemal schüttelte wieder den Kopf: «Was hat sich der Junge dabei gedacht?» Isabelle antwortete langsam: «Er hat sich gedacht, daß er dich schützen will. Er hat sich gedacht, daß du jetzt zuerst einmal versteckt bleiben mußt. Er hat sich gedacht, daß er, als Schweizer, bedeutend weniger Gefahr läuft, lange im Gefängnis zu bleiben als du. Und das sind im Grunde richtige Überlegungen.» «Er kennt die türkischen Gefängnisse nicht», murmelte Kemal. «Er ist noch nie geschlagen worden. Wir müssen schauen, daß wir bald hier rauskommen. Und dann muß ich sofort mit der Fremdenpolizei oder direkt mit der schweizerischen Botschaft in Ankara oder Istanbul telefonieren. Ich muß ihnen erklären, daß ich der Mann bin, der ausgeschafft werden sollte, daß ein Schweizer an meiner Stelle im Gefängnis sitzt. Sie müssen ihn sofort herausholen!» Und er begann wie ein Berserker auf die Schiebetüre einzudonnern, immer auf die gleiche Bohle, bis Fersen und Fäuste blau und geschwollen waren. «Es hat keinen Zweck, hör auf!» sagte Isabelle, «wir sind gefangen. Das einzige, was wir tun können, ist rufen. Wir müssen an den Luftschlitzen sitzen, horchen und regelmäßig rufen oder pfeifen. Vielleicht kommt doch mal einer zufällig an unserem Gefängnis vorbei! Im übrigen können wir auf den Bauern hoffen. Tommis Auto steht — nehme ich an — noch immer dort. Und wenn du heute abend nicht auftauchst, wird er vielleicht nachschauen, oder er schickt seinen Bub, den Pius, oder sonst wen. Bis dann ist's wirklich sinnlos, daß du dir deine Knochen noch weiter kaputtschlägst.»

Sie saßen den ganzen Tag abwechselnd an den Luftöffnungen, riefen, pfiffen, lauschten. Niemand kam vorbei. Am späteren Nachmittag hörten sie einzelne Regentropfen auf die Ziegel fallen. Eine Stunde später rauschte der Regen gleichmäßig aufs Dach.

Es wurde Abend, und es kam niemand. Sie lagen nebeneinander, starrten ins Dunkel und schliefen schließlich ein. Wirre Träume schreckten sie dann und wann auf. Sie quälten sich durch die Nacht.

Als sie erwachten, drang kaum Licht durch die Schlitze. Es regnete.

Sie lauschten, riefen, warteten. Gegen Mittag gab Kemal Isabelle den letzten Schluck Tee aus der Thermosflasche. Sie durchstanden die zweite Nacht und den dritten Vormittag. Es regnete fast ununterbrochen. Bei diesem Wetter gab es keine Spaziergänger.

Am Nachmittag drängte sich Isabelle an Kemal. «Draußen rauscht es von Wasser, hörst du?» «Wir verdursten nicht so schnell», antwortete er und legte seinen Arm um sie. «Der Bauer muß doch einmal kommen! Er muß doch merken, daß etwas nicht in Ordnung ist!» Dasselbe hatten sie sich gestern und vorgestern schon hundertmal gesagt.

Am Tag, als die Polizei Kemal-Thomas abholte, war der Bauer mit seiner Frau verreist. «Übermorgen abend sind wir wieder da. Nimm den Pius nur dran, der kann arbeiten. Und dann, zusammen mit dem Türk, wirst du's schon schaffen.» Als der Türk am Abend nicht erschien, brummte der Knecht: «War zu erwarten. Auf die Kerle ist doch nie

Verlaß.» Er schaute, wie er mit dem Zehnjährigen durchkam. Vom Auto nahm er in seiner Stumpfheit keine Notiz. Und so hielten es der Knecht und das Kind auch am nächsten Tag.

Als am späten Nachmittag des dritten Tages das Auto immer noch dort stand, stutzte der zehnjährige Pius plötzlich. Ihm schien das nun doch langsam merkwürdig: War die Isabelle schon drei Tage hier und hatte sich noch nie gezeigt? Das hatte sie noch nie getan!

Der Junge spazierte durch den Regen zum Häuschen. Die Tür war unverschlossen. Er öffnete sie einen Spalt breit und rief schüchtern: «Hallo!» Er lauschte. Als er nichts vernahm, wagte er sich in das Häuschen: «Isabelle!» Da hörte er von oben eine schwache Antwort, und gleich darauf trommelte jemand auf die Bretterdecke. Fast wäre der Kleine davongerannt; aber schließlich, nachdem er Isabelles Stimme erkannt hatte, konnte er die beiden Gefangenen befreien. Auf dem Tisch fanden sie Thomas' Zettel und die Brille. Sie hatten es erraten gehabt! Kemal wußte, daß er in der Jacke Thomas' Paß finden würde und war nicht überrascht, als dies stimmte. Sie nahmen die Dinge an sich und eilten durch den Wald zum Bauernhaus. «Können wir telefonieren?»

Der Knecht glotzte verständnislos, doch der Kleine sagte: «Das Telefon ist außer Betrieb. Beim Sturm ist ein Baum auf die Leitung gefallen. Sie haben sie noch nicht repariert.» Pius hatte nichts einzuwenden dagegen, daß die beiden Erschöpften in der Küche hastig etwas zu sich nahmen. Isabelle dankte ihm; sie setzten sich ins Auto — auch den Wagenschlüssel hatte Kemal in der Tasche gefunden — und fuhren Richtung Luzern.

Vom nächsten Telefon aus rief Isabelle die Fremdenpolizei in Luzern an. Das Amt war noch nicht geschlossen und sie erhielt die Auskunft, daß der abgewiesene Asylant noch am selben Tag, an dem man ihn erwischt hatte, ausgeflogen worden sei.

Sie fuhren weiter, hingen ihren Gedanken nach: Wo mochte Thomas sein? Schon auf der Rückreise? Er hatte kein Geld bei sich. Schweizerbotschaft?

Kemal war überzeugt, daß sie ihn festgenommen hatten. Er hatte Angst. «Ich fliege nach Istanbul. Kannst du mir Geld leihen? Mit meinem Schweizer Paß kann ich ihn dort persönlich suchen. Ich muß ihn herausholen.» «Das ist erstens sinnlos und zweitens dumm», sagte Isabelle. «Wenn sie ihn festgenommen haben, dann kann ihn auch ein Botschaftsangestellter herausholen, besser als du als Schweizer Privatmann. Herausholen kann man ihn auf alle Fälle. Es ist dazu nicht nötig, daß du dich auslieferst.» Nach einer Weile fügte sie hinzu: «Vielleicht liegt schon ein Telegramm bei uns zu Hause, daß er Geld braucht für die Rückreise.»

Im Laufe der Fahrt waren sie zum Schluß gekommen, es sei besser, Kemal spiele vorläufig in Luzern wirklich die Rolle von Thomas. Es war ja gewiß klüger, etwas vorsichtig zu sein.

Sie erreichten die Stadt etwa um halb sechs, parkierten den Wagen vor Thomas' Haus und gingen in die Wohnung. Im Briefkasten fand sich nichts Wichtiges an Post.

Die gegensätzlichsten Gedanken jagten durch Kemals Hirn, machten ihn entschlußlos. Isabelle übernahm die Führung. «Du bleibst vorläufig ruhig hier. Nimm kein Telefon ab! Ich laufe schnell nach Hause, schaue nach, ob Post da sei; in einer halben Stunde bin ich wieder da. Gib mir die Brille!» Sie ließ ihn allein.

In ihrem Briefkasten lag ebenfalls nichts von Belang. Sie eilte zur Hauptpost, fragte nach einem Telegramm — nichts!

Bei einem Optiker erstand sie eine ähnliche Brille wie die von Thomas und ließ Fensterglas einsetzen. Nachdem sie noch einige Lebensmittel eingekauft hatte, kehrte sie in Thomas' Wohnung zurück. Kemal setzte die neue Brille auf und versuchte, sich daran zu gewöhnen.

Kemal wanderte ruhelos auf und ab, Isabelle hantierte am Kochherd. Obwohl sie beide ausgehungert waren, schmeckte es ihnen nicht. Kemal schob den halbvollen Teller von sich. Er grübelte. Was konnten sie tun? Was war das Richtige. Auch Isabelle dachte nach. Die Büros in Bern waren geschlossen. Vor morgen früh konnten sie nicht telefonieren. Plötzlich schlug sich Isabelle mit der flachen Hand vor die Stirn. «Rolf! Rolf Mathis, der macht bei Amnesty International mit; der weiß vielleicht weiter.» Sie blätterte bereits im Telefonbuch. Rolf war nicht zu Hause, aber seine Schwester wollte versuchen, ihn zu finden. Falls sie ihn erreichte, würde er sich melden.

Sie warteten. Nach einer halben Stunde läutete es: Rolf, baumlang, blond, stutzte ein wenig, als Isabelle Kemal vorstellte. Er blickte eine Sekunde lang seine Bekannte fragend an, und Kemal bestätigte: «Ja. Ich bin der Kurde, den sie gesucht haben.»

Isabelle erklärte, berichtete, was alles vorgefallen war. Rolf faßte zusammen: «Jetzt sitzt also Thomas als Kemal Karbaly in der Türkei! Und so, wie ich's nach all dem sehe, was ihr mir erzählt habt, dürfte Kemal recht haben: Sie haben ihn festgenommen. Laßt mich nachdenken!» Er stützte sein Kinn auf die Faust und schwieg eine Weile. Isabelle setzte Kaffee auf und brachte die Tassen. Rolf begann: «Das Telefon morgen nach Bern machst du, Isabelle. Du erkundigst dich nach dem Verbleib des Kemal Karbaly und äußerst die Befürchtung, daß er — entgegen der Ansicht des Flüchtlingsamtes — eingesperrt worden sei. Es hat keinen Zweck, von dem Rollentausch etwas zu erwähnen. Wir wollen ja nur wissen, wo der abgewiesene «Asylant» steckt. Dann können wir einzuwirken versuchen. Von der Botschaft aus werden sie nachforschen, und sie sind auch in der Lage dazu. Sie sind bestimmt interessiert, denn es liegt ja im Interesse der Schweiz, daß ausgeschaffte Flüchtlinge in ihrem Heimatland unbehelligt bleiben. Man weist Asylanten ja nur ab, wenn man annimmt, daß sie in ihrer Heimat den dortigen Umständen enspre-chend normal leben können. Leider gibt's natürlich auch Irrtümer . . .

Und du, Kemal, du bleibst vorläufig am besten Thomas Walther. Es ist für euch beide richtig. Es würde Thomas absolut nichts bringen, wenn du dich jetzt stellst. Später, wenn Thomas zurück ist, sehen wir weiter. Vielleicht haben wir von Amnesty aus auch irgendeine Möglichkeit zu helfen. Im übrigen: Danke, Isabelle, für den Kaffee. Ich gehe jetzt. Vielleicht gelingt es mir, heute nacht noch einen Kontakt nach Istanbul herzustellen, will's auf alle Fälle versuchen.» Er erhob sich: «Tschüß, Isabelle; auf Wiedersehen — Thomas!»

Die beiden schliefen schlecht diese Nacht. Kemal hatte entsetzliche Angstträume und lag zwischendurch stundenlang wach: Wie mochte es Thomas gehen?

Die beiden Polizeibeamten hatten Thomas in ein Auto geschoben. Er hatte keine Gelegenheit gehabt, irgend etwas zu sagen. Nun saß er auf dem harten Sitz, wurde seit einer Stunde über holprige Straßen geschüttelt und sah in dem geschlossenen Wagen nicht, wo sie hinfuhren. Was würde jetzt mit ihm geschehen?

Bereute er? Nein! Trotzig richtete er sich auf: Das war sein Beitrag an eine bessere Welt.

Sie hielten vor einem Betongebäude. Man führte ihn durch endlose Gänge. Auf seine Fragen, türkisch oder deutsch, erhielt er keine Antwort.

Man nahm ihm die Brieftasche und das Portemonnaie ab und steckte ihn in eine Zelle.

Er war allein.

Er dachte an Amma. Er stellte sie sich vor, wie sie in einer Gruppe von Leuten, die sie vorher noch nie gesehen hatte, durch die bergige isländische Landschaft wanderte. Amma fand stets rasch Kontakt. Sie würde bald gute Bekannte haben. Ursprünglich hatte er mitreisen wollen, hatte sich dann aber anders entschieden. Frühere gemeinsame Ferien tauchten vor seinem inneren Auge auf, Fahrten und Wanderungen, als Vater noch lebte. Sie waren eine glückliche kleine Familie gewesen. Seit Vaters Tod war seine Beziehung zu Amma noch enger geworden. Sie hatte ihm vieles aus ihrem Leben erzählt; von ihrer Jugend in einer kleinen Küstenstadt. Sie hatten miteinander davon geträumt, einmal dorthin zu reisen. Von ihren Studien an der Uni Zürich hatte sie berichtet, wie sie Vater kennengelernt hatte. Von ihrer Ehe, von ihren Schwierigkeiten, hier, in dem für sie fremden Land, Wurzeln zu schlagen. Sie hatte sich ganz auf die Schweiz konzentriert, sie bewußt zur neuen Heimat gemacht, sich hier einen Freundeskreis aufgebaut. Es war nicht leicht gewesen; sie hatte oft unter Heimweh gelitten. Aber die Verbindungen zur alten Heimat waren eingeschlafen, ihre Verwandten dort gestorben. Eine Schwester war nach Australien ausgewandert: alle Jahre zu Weihnachten ein Brief! Nach dem Tode des Vaters hatte sie sich ihr Leben erneut umgestalten müssen. Schon vorher hatte sie Texte übersetzt. Seither war sie voll berufstätig, übersetzte, arbeitete als Dolmetscherin, als Sprachlehrerin an einer Privatschule. Unter anderem aus finanziellen Gründen hatte er, Thomas, auch nach Abschluß seines Studiums sein Zimmer in ihrer Wohnung behalten. Aber der eigentliche Grund war: Er spürte, daß sie sich einsam fühlen würde. Sie war es noch nicht gewohnt, ganz allein zu leben. Im übrigen fühlte er sich wohl bei ihr. Sie ließ ihn sein eigenes Leben führen, und sie gab ihm unendlich viel. Abgesehen von ihrer mütterlichen Liebe hatte er manches aus ihrer reichen Lebenserfahrung mitbekommen, und in langen Gesprächen hatte sie ihm tiefe Einblicke in ihre Lebensphilosophie gegeben. Er hatte von ihr gelernt. Er liebte und bewunderte seine Amma. Und er sehnte sich ein wenig nach ihr . . .

Hart wurde er aus seinen Träumen gerissen. Zwei uniformierte Beamte traten ein, banden ihm die Hände auf den Rücken und führten ihn durch einen langen Gang. Durch eine schallisolierte Eisentür schob man ihn in einen Raum. Er starrte in grelles Scheinwerferlicht und wurde eine kurze Treppe hinuntergestoßen. Er stolperte die zwei, drei Stufen hinab und blieb dann stehen.

«Kemal Karbaly, du bist angeklagt, die kurdischen Terroristen zu unterstützen.» Ein Mann, dessen Gesicht er hinter den starken Lichtern nicht erkennen konnte, hatte mit gleichmütiger Stimme geredet.

«Ich heiße Thomas Walther und bin Schweizer

Bürger», antwortete Thomas auf deutsch. Einer der neben ihm stehenden Uniformierten schlug ihm ins Gesicht: «Antworte dem Kommissar, daß man's versteht!» Thomas krümmte sich zur Seite. Ihm schoß durch den Kopf, was er sich schon vorher gedacht hatte: Sie wollen dich einschüchtern. Werde nicht weich!

«Du warst in der Schweiz. Welche Kontakte mit Kurdenrebellen hast du geknüpft?»

Diesmal antwortete er türkisch: «Keine. Ich bin Schweizer. Die Identitätskarte, die Sie mir genommen haben, bestätigt es.»

«Eine gute Fälschung! Wir haben sie zerrissen.» Thomas fühlte das hämische Lächeln, das im Gesicht hinter den Scheinwerfern stehen mußte.

«Du warst in Basel. Mit wem hast du Kontakte unterhalten?»

Thomas schwieg.

«Du wurdest vor dem Hause des Mehmed Kaylyan fotografiert. Du siehst, wir wissen alles. Was habt ihr besprochen?»

Thomas schwieg.

Er erhielt den Schlag von dem, der links neben ihm stand. Er fühlte einen grellen Schmerz am linken Ohr, taumelte nach rechts und stürzte um. Schwer schlug sein Kopf auf die Betonkante der untersten Treppenstufe. Er fühlte nichts mehr.

«Steh auf!» herrschte ihn einer an. Als er sich nicht regte, packte ihn der Uniformierte am Kragen und riß ihn hoch. Mit durchgesackten Knien hing der Körper schlaff in der Hand des Schergen, der ihn mit stumpfem Gesicht langsam wieder zu Boden gleiten ließ.

Der andere Beamte kniete neben dem Leblosen nieder, klatschte ihm mit der flachen Hand leichte Schläge ins Gesicht: «Aufstehen! Mach kein Theater!»

Als sich der Gefangene nicht rührte, blickte der Mann unsicher zu seinem Vorgesetzten empor. Der Kommissar starrte mit schmalen Lippen eine Weile geradeaus. Dann sagte er: «Holt den Arzt! Erstattet mir Meldung, wenn der Gefangene wieder vernehmungsfähig ist!» Er verließ den Raum.

Nach einer halben Stunde betrat der Arzt das Zimmer des Kommissars: «Der Mann ist tot.»

Betroffen blickte der Kommissar auf. Seine Augen verengten sich: Das hatte er nicht erwartet! — Das hätte nicht passieren dürfen! Einschüchtern, auch mit Schlägen: ja! Der Kampf gegen die Terroristen mußte mit aller Härte geführt werden; aber das — nein, das hatte er nicht gewollt! Er schwieg lange. Schließlich straffte er sich: Nun, es war eben passiert; der Krieg forderte Opfer, diesmal einen Kurden . . .

Er blickte den Arzt nicht an: «Was — können Sie als Todesursache angeben?» «. . . Herzversagen?» Er nickte, und der Arzt war entlassen.

Der Kommissar blätterte in den Unterlagen: Verwandte? Ein Bruder, bei den Rebellen. Tante in Izmir, anscheinend kaum Verbindung. Sonst niemand. Das vereinfachte den Fall. Man würde nach Izmir berichten. Er gab die nötigen Anweisungen.

Es läutete. Kemal und Isabelle hatten nur einen schwarzen Kaffee zu sich genommen. Sie mochten nichts essen. Isabelle öffnete. Rolf trat ein. Schweigend nahm er Platz. Sie blickten ihn fragend an: «Hast du Neuigkeiten? Weißt du schon etwas?» Rolf wußte nicht wie beginnen. «Er ist tot», sagte er schließlich tonlos und blickte zu Boden. Isabelle starrte ihn entsetzt an. Dann brach sie zusammen. Ein Weinkrampf schüttelte sie. Kemals Fäuste verkrampften sich, die Knöchel traten weiß hervor. Er schloß die Augen und senkte den Kopf. Er hatte es gewußt. Und es war seine Schuld! Mehr konnte er nicht denken.

Rolf sagte: «Ihr hättet nichts mehr helfen können. Er starb am Tag seiner Ankunft, während des ersten Verhörs. Er muß rasch gestorben sein. Vielleicht hat er nicht viel gelitten.» Sie schwiegen. Bevor Rolf ging, sagte er: «Ihr hättet nichts ändern können! Thomas hatte euch eingesperrt. Er war tot, bevor ihr herauskamt. Es war sein Wille. Im übrigen: Was ich weiß, weiß ich von einem Vertrauensmann, telefonisch, aus Istanbul. Ich glaube, der Bericht stimmt. Trotzdem würde ich mich über die schweizerische Botschaft nach dem Schicksal des Ausgeschafften erkundigen.»

Nach einigen Tagen erhielt Isabelle Antwort aus Bern: Man bedauerte, daß der ausgewiesene Asylant, nach dem sie sich erkundigt hatte, anscheinend bei einem Verhör einem Herzschlag erlegen sei. Man habe ja auch in Luzern eine Herzschwäche festgestellt. Es werde untersucht, ob bei der Behandlung des Falles nicht doch Fehler in der Beurteilung unterlaufen seien. Man strenge sich stets an, nach bestem Wissen und Gewissen zu handeln und werde in Zukunft noch sorgfältiger recherchieren . . .

Kemal telefonierte nach Izmir. Vielleicht wußte seine Tante Genaueres. Sie würde seine Stimme nicht kennen, sie hatten sich seit seiner Kindheit nicht mehr gesehen. Unter falschem Namen erkundigte er sich nach seinem alten Bekannten, Kemal. Er erfuhr, daß sie vor wenigen Tagen die Nachricht vom Tode ihres Neffen erhalten habe. Man habe sie aufgefordert, die Asche des Toten abzuholen. Sie habe die Asche in Izmir beisetzen lassen.

Der letzte Hoffnungsschimmer war erloschen; es gab keinen Zweifel.

Sie hatten Thomas' Mutter vom Bahnhof abgeholt und fuhren im Taxi nach Hause. «Wo ist Thomas?» «Er konnte nicht kommen.» Sie erzählte von ihrer Reise. Zu Hause fragte sie schließlich: «Was ist los, ihr zwei? Etwas stimmt nicht. Ist etwas mit Thomas?»

Isabelle brachte die Kraft auf. Amma saß still da und hörte zu. Isabelle zeigte ihr das Notizblatt mit

Thomas' letzten Zeilen. Sie las aus dem Brief aus Bern vor, erzählte, was Rolf durch Amnesty International erfahren hatte, was Kemals Tante berichtet hatte. Stumm hatte Amma zugehört. Sie stand auf, nahm das Notizblatt an sich, sagte mit leiser Stimme: «Laßt mich allein!» und ging in ihr Schlafzimmer.

Lange Zeit blieb sie dort, redete vielleicht mit Allah, vielleicht mit Gott. Als sie zurückkam, setzte sie sich zwischen Kemal und Isabelle.

Ihre Stimme klang sanft: «Er hat es hinter sich. Ich glaube, er hat nicht lange gelitten. Das hier ist sein Testament. Wir wollen uns daran halten. Es ist sein Wille, daß du, Kemal, Thomas würdest. Du mußt es werden.

Du wirst vorläufig nicht hier in Luzern leben können. In einer andern Stadt wirst du dein Leben als Thomas Walther aufbauen. Ich werde hier allein bleiben. Wir werden uns oft sehen. Du mußt mir meinen Sohn ersetzen. Du bist jetzt mein Sohn — mein Thomas.»

Sie zog die beiden an sich, und sie weinten zusammen.

Ende

Vom gleichen Autor:

Ruedi Klapproth

Die Nacht, die zehn Tage dauerte

In einem Unwetter verirrt sich die 15jährige Claudia und stürzt in einen Felsschrund. An der Suchaktion mit Helikopter, Bergführern und Hunden beteiligen sich auch Claudias Bruder und Armand, ihr gemeinsamer neuer Freund aus der französischsprachigen Schweiz. Nach sechs Tagen vergeblichen Suchens wird die Rettungsaktion eingestellt, doch Armand mit seinen telepathischen Fähigkeiten spürt mit Gewißheit, daß Claudia noch am Leben ist.
Ein überaus spannendes, eindrückliches Buch für junge Menschen!

Ruedi Klapproth

Der todsichere Plan

Jack überredet den 16jährigen Marco zur Mithilfe bei einem Bankraub. Während der gefährlichen Flucht gerät die Beute in den Besitz der 15jährigen Dani, die daraufhin von den Dieben gefangengehalten wird. Marco befreit Dani und flieht mit ihr. Nicht nur Dani, auch Marco schwebt in großer Gefahr. Ein alter Freund von Dani gewährt den beiden Unterschlupf, doch die Verfolger sind ihnen auf den Fersen. Da tut Marco das einzig Richtige . . .
Ein spannender Jugendkrimi ab 12 Jahren.

REX-VERLAG LUZERN/STUTTGART